JÉSUS DEVANT SA PASSION

LECTIO DIVINA

92

MARCEL BASTIN

JÉSUS
DEVANT
SA PASSION

LES ÉDITIONS DU CERF
29, bd Latour-Maubourg, Paris
1976

232.9X
B296

7902201

ISBN 2-204-01027-8

TABLE DES ABRÉVIATIONS

Périodiques et Collections

Abréviations d'ouvrages

BAUER

W. BAUER, *Griechisch-Deutsches Wörterbuch zu den Schriften des Neuen Testaments und des übrigen urchristlichen Literatur 5*, Berlin, 1958. (= 1963).

BILLERBECK

H.L. STRACK — P. BILLERBECK, *Kommentar zum Neuen Testament aus Talmud und Midrasch*, Munich, I, 1922 ; II, 1924 ; III, 1926 ; IV, 1928 ; V (éd. par J. Jeremias en coll. avec K. Adolph), 1956 ; VI (éd. par J. Jeremias en coll. avec K. Adolph), 1961 (= ³ I-IV, 1961, ² V-VI, 1963).

BLASS-DEBRUNNER

F. BLASS — A. DEBRUNNER, *A Greek Grammar of the New Testament and Other Early Christian Literature*, Cambridge-Chicago, 1961.

Synopse II

P. BENOIT — M.-E. BOISMARD, *Synopse des quatre Evangiles en français*, II, Paris, 1972.

INTRODUCTION

Plus personne ne se risquerait aujourd'hui à écrire une « Vie de Jésus ». Il se rappellerait nécessairement le laps de temps qui a séparé la mort de Jésus de la rédaction des évangiles et serait dès lors conduit à se demander dans quelle mesure le kérygme, même sous la forme la plus primitive dans laquelle on puisse l'atteindre, répond au Jésus de l'histoire. Si la Résurrection fonde le kérygme et en est le thème direct, peut-elle garantir la vérité du message chrétien ou n'est-elle qu'un postulat de foi accusant la disparité foncière du message et des faits ? La recherche historique entreprise depuis près d'un siècle a démontré que les rédacteurs des évangiles n'avaient jamais eu l'intention d'écrire une biographie de Jésus. Ils ont transmis, réinterprétés à la lumière de Pâques, les souvenirs qu'ils avaient conservés du Prophète de Galilée ; ils ont livré des témoignages de croyants.

Le problème de la correspondance entre la tradition et l'histoire fut posé dès 1892 par M. Kaehler [1]. Après la Première Guerre mondiale, la recherche a porté avant tout sur l'état « premier » des traditions dans leur forme encore fragmentaire *(formgeschichtliche Methode)*. Mais personne n'a songé à établir le catalogue complet des

---

1. Cf. *Der sogennante historische Jesus und der geschichtliche biblische Christus*, réédité par E. WOLF, *Theologische Bücherei*, Bd. 2, Munich, 1953.

« critères » qui auraient permis de confirmer, de préciser à l'occasion, la valeur foncière du témoignage des traditions. Tous s'en sont tenus au postulat de la Communauté « créatrice », donnant ainsi l'impression que la teneur historique des récits en était, dans la plus favorable des hypothèses, le résidu, déduction faite des divers apports communautaires. Nous touchons là une des lacunes congénitales de l'Ecole dite « de l'histoire des formes », bloquée dans son travail par sa réaction contre les tenants de la critique littéraire, et par ce qui en fut le corollaire excessif, l'axiome de la recherche impossible voire illégitime concernant le Jésus de l'histoire. En formulant cet axiome, R. Bultmann établit à sa manière la rupture complète entre « Jésus » et le « kérygme ».

Le scepticisme bultmannien n'a nullement empêché un certain nombre de chercheurs de tenir pour ferme la véracité générale de la tradition évangélique. Ils jugeaient la teneur historique d'une tradition, reconnue primitive par ailleurs, à *l'absence de toute trace probable d'un apport ecclésial*. Le critère est fondamental. Au jugement de la critique contemporaine, il est la condition préjudicielle qui rend légitime la mise en œuvre des critères secondaires et convergents. On présumera de l'authenticité des paroles transmises de Jésus là où nul motif sérieux n'invite à la suspecter. Le logion évangélique n'est pas dans la situation du prévenu dont l'innocence serait à démontrer : c'est l'inauthenticité qu'il faudrait prouver et non point la vérité, à présumer. Toutefois, il n'en reste pas moins vrai que la vérité foncière de la tradition est un fait qui doit chaque fois être soigneusement vérifié. Des critères précis doivent être appliqués aux textes pour en déterminer le contenu authentique.

Un premier principe — le critère de *la particularité spécifique de Jésus* — fut énoncé en 1901 par P. Schmiedel [2]. D'une manière générale, le fait pascal a conduit la Communauté apostolique à réduire les particularités de Jésus qui cadraient mal avec l'image qu'elle se faisait de son Seigneur. La tendance à la « stylisation » invite à ne tenir pour originaux que les matériaux qui ont résisté au processus de l'idéalisation. Mais, la seule énumération des traits retenus par les auteurs [3] indique l'insuffisance et les limites de pareil critère qui risque toujours d'être commandé par une certaine image de Jésus, laquelle varie d'historien à historien.

Cependant, l'analyse de Schmiedel contenait en germe des éléments que la recherche ultérieure devait préciser. En faisant état de données que la Communauté n'avait pu inventer, l'auteur soulignait l'importance des matériaux évangéliques, libres de toute création doctrinale et religieuse à tenir pour marquante de la chrétienté apostolique. De tels matériaux, qui ne doivent rien à la foi, à la théologie, à la culture et au culte de l'Eglise primitive, ou du moins ne leur correspondent pas entièrement, allaient faciliter la « délimitation » de la tradition primitive par rapport à l'Eglise apostolique.

Le critère n'en était pas moins incomplet ; il négligeait l'influence incontestable de l'héritage judaïque sur la pensée évangélique. Nombre d'oppositions, tenues

---

2. Art. « Gospels », dans *Biblical Encyclopaedia,* II, 1901, col. 1761-1898.

3. Schmiedel relevait l'humanité de Jésus, sa compassion à l'égard des foules, sa prédication « avec puissance ». F. Mussner « Der historische Jesus und der Christus des Glaubens », BZ NF, 1957, p. 228) notait de préférence la structure formelle de la prédication et d'abord ce qu'il appelait « la manière non messianique » de Jésus. J. Jeremias (*Théologie du Nouveau Testament,* I, Lectio divina 76, Paris, 1973, pp. 42-46) a souligné que l'expression créatrice de Jésus s'était affirmée par des tournures nouvelles, comme l'insistance sur la souveraineté royale de Dieu, rare dans le judaïsme contemporain et que du reste l'Eglise s'est empressée de transposer dans un langage missionnaire.

pour caractéristiques de Jésus, ne sont en fait que le reflet de conflits intérieurs entre le rabbinisme d'après 70 et la chrétienté naissante. En rappelant la nécessité de la connaissance du judaïsme et du judéo-christianisme pour une approche plénière du Jésus de l'histoire, E. Hirsch [4] reconnaissait à l'écart même entre Jésus et le judaïsme en général la portée méthodologique d'une norme majeure de la recherche historique. En 1967, W. Bauer [5] faisait un pas de plus dans la voie ainsi ouverte, en attirant l'attention du monde savant sur un fait trop négligé jusqu'alors : avant l'an 70, il n'y avait pas un judaïsme, mais *des* judaïsmes. Comme Galiléen, Jésus devait nécessairement se distinguer du judaïsme pharisien. E. Käsemann avait déjà donné au critère de *la double délimitation* sa première formulation précise : « Dans une certaine mesure, nous ne sommes sur un terrain solide que dans un cas : lorsque la tradition ne peut dériver ni du judaïsme ni de la Communauté primitive, spécialement lorsque le judéo-christianisme a atténué ou modifié le matériau traditionnel qu'il considérait comme trop hardi [6]. » Au reste, l'auteur affirmait, à juste titre, la nécessité de préciser cette règle, à son sens fondamentale, par des critères complémentaires, tel le non-accomplissement de certaines paroles « prophétiques » de Jésus.

Nul ne contestera l'excellence de ces divers principes, si ce n'est pour rappeler qu'il est aussi difficile de définir le pluralisme judaïque d'avant 70 que de décrire avec une précision égale les principaux aspects de la pensée

4. *Die Auferstehungsgeschichten und der christliche Glaube*, 1940, p. 41.

5. « Jesus der Galiläer », *Aufsätze und kleine Schriften*, édité par G. STRECKER, 1967, pp. 91-108.

6. *Das Problem des historischen Jesus. Exegetische Versuche und Besinnungen*, Bd. I, Goettingue, 1960, p. 205.

apostolique. Au demeurant, les travaux de P. Fiebig [7]
sur les paraboles constituent une mise en application
du critère de la double délimitation. Aujourd'hui, un
large consensus reconnaît que les paraboles sont un des
témoins les plus fermes du message historique de Jésus.
Enracinées solidement dans la tradition judaïque,
ni pures paraboles, ni pures allégories, elles relèvent du
genre littéraire du *mâshâl* et diffèrent, de contenu
comme de style, des parallèles rabbiniques. La recherche actuelle de la *vox Jesu* est un autre domaine d'élec-
tion où est appliqué le principe de la délimitation.
Après d'autres, J. Jeremias [8] accorde une attention
décisive aux critères de style ou d'expression.

S'il est incontestable que le critère de « dissimilitude » ouvre des pistes intéressantes, il présente un
point faible. Il n'admet comme authentique que ce
qui n'appartient ni à la pensée juive ni à la Communauté chrétienne. Il refuse à Jésus les enseignements
où il se fait simplement l'écho de la théologie de ses
contemporains, et ceux où l'Eglise répète l'enseignement de son fondateur. Le critère permet de distinguer
la doctrine de Jésus, non de la caractériser. Or, s'il est
vrai que l'enseignement de Jésus est original par rapport à la pensée religieuse du judaïsme palestinien,
il n'en est pas moins vrai qu'il s'est organisé à partir
de la réflexion théologique d'Israël. C'est dans le cadre
de la discussion désormais ouverte sur les critères de
l'authenticité des traditions synoptiques qu'il faut situer
la présente contribution à la recherche du Jésus de
l'histoire. Nous nous proposons de montrer que Jésus
a tiré parti des principaux courants de la pensée de
son peuple. Il connaissait l'esprit et les tendances de
l'exégèse rabbinique ; il a reconsidéré — à sa manière,

---

7. *Die Gleichnisreden Jesus im Lichte der rabbinischen Gleich-
nisse des neutestamentlichen Zeitalter*, Tubingue, 1912, p. 162.
8. *Op. cit.*, pp. 10 et ss.

critique et mesurée — les thèmes les plus marquants de l'apocalyptique inter-testamentaire.

L'analyse porte essentiellement sur les paroles de Jésus annonçant sa passion rédemptrice. D'où vient cette lecture sotériologique de la croix ? N'est-elle qu'un théologoumène paulinien ou reflète-t-elle la conscience de Jésus à l'heure suprême du témoignage ? Disciple et compagnon du Baptiste, Jésus a dépassé le mouvement dont il était issu. Jean avait annoncé le Jugement eschatologique, mais n'avait ni parlé du Règne ni accompli de signes messianiques. En revanche, Jésus a proclamé la venue du Règne, tant par sa prédication que par son activité de thaumaturge. Un instant même, il a pu croire que le Jour de Yahvé surviendrait de son vivant (Mc 9, 1). Les événements ne devaient pas confirmer cette attente. Bientôt, il n'y eut plus que la persécution et la mort. A la phase apocalyptique du ministère succédait l'étape ultime et piétiste : Jésus allait « donner sa vie, rançon pour la multitude ». Comment a-t-il réagi ? Quelle fut, sur la maturation de sa conscience de Messie, l'influence de la proximité du martyre ? En quels termes en a-t-il parlé à ses disciples ?

La recherche s'est faite en deux temps. L'analyse littéraire, complétée au besoin par la méthode de l'histoire des traditions, a été première. Elle a relevé les divers textes conservés dans les évangiles et en a déterminé, s'il y avait lieu, les niveaux rédactionnels. Elle en a établi la provenance et a restitué la tradition dans sa teneur la plus primitive connue, pour en définir l'origine et l'authenticité. Sur la tradition, ainsi ramenée à son moindre développement sinon à son état primitif, a porté la recherche sur le Jésus de l'histoire. Cette deuxième étape a comparé le témoignage apostolique à ce que nous savions par ailleurs de la situation humaine et religieuse de Jésus. En ce qui regarde les critères de l'historicité, la méthode de recherche se devait d'être tout en nuances. Puisqu'aucun d'eux n'était parfaitement adéquat, il a fallu les compléter l'un par l'autre.

CHAPITRE I

L'ATTENTE MESSIANIQUE
AU TEMPS DE JÉSUS

De sa prison de Machéronte, Jean-Baptiste, étonné par la prédication et le comportement de son ancien disciple, délégua quelques fidèles auprès de Jésus pour lui demander s'il était bien « Celui qui vient » ou s'il fallait en attendre un autre. Etrange question dans la bouche de celui qui n'avait pas craint de reconnaître en Jésus de Nazareth le Messie annoncé par les prophètes. Elle se comprend mieux lorsqu'on s'efforce de rendre compte de la multiplicité des expressions de l'attente messianique à l'époque de Jésus. Mais avant de signaler les particularités de cette espérance, il convient de brosser à larges traits ce qui en fait la trame commune. Si l'opinion dominante du judaïsme orthodoxe était la conviction que l'Esprit s'était éteint à la mort des derniers prophètes, on gardait néanmoins vivace l'espoir qu'après une longue interruption Yahvé romprait son silence et parlerait à nouveau. L'attente eschatologique est le sommet de l'histoire religieuse d'Israël. Elle s'enracine dans la foi en la fidélité de Dieu. Yahvé est le roc, l'abri hospitalier, le bouclier qui entoure le fidèle : ainsi le chantent tant de psaumes de supplication et d'action de grâce. « Ce jour-là », il se manifesterait dans sa toute-puissance et serait reconnu comme Roi par le monde entier. Conformément au principe de la *restitutio principii* qui, appliqué à Gn 2, 7, définissait l'œuvre eschatologique comme la réplique de l'acte créateur, Yahvé créerait « des cieux nouveaux et une terre nouvelle » (Is 65, 17) et restaurerait l'homme dans la gloire première d'Adam (1 QS 4, 23). Toujours selon ce principe, le peuple connaîtrait auparavant un nouvel Exode. En effet, si l'élévation du peuple à la dignité de communauté théocratique avait eu jadis comme prélude la marche au désert, sa restauration aurait aujourd'hui pour condition une ultime retraite dans la solitude. C'était au désert que la plupart des sectes religieuses appelaient leurs adhérents. Moyennant la conversion, les « réchappés d'Israël » pourraient enfin aller à la rencontre de leur Seigneur. Cette exigence était consignée en Is 40, 3-5, le fragment par lequel s'ouvre le Deutéro-Isaïe et qui, avec ses parallèles, semble bien avoir inspiré le judaïsme postérieur. Yahvé interviendrait-il en personne ou déléguerait-il son Messie ? La question était posée. En outre, la personnalité du Messie divisait la société contemporaine de Jésus. Nombreux étaient les groupes convaincus du fait qu'il ne pouvait naître qu'en leur sein. Des Pharisiens à Jean-Baptiste, chacun avait son idée sur l'Envoyé de Dieu.

§ 1. LES PHARISIENS ET LE RABBINISME POSTÉRIEUR

Lc 13, 31 raconte une intervention des Pharisiens auprès de Jésus qui surprend à première vue. Le lecteur des évangiles n'est pas habitué à voir des membres de ce groupe voler, pour ainsi dire, au secours du

Galiléen. On sait aujourd'hui que les récits néo-testa-
mentaires reflètent souvent la situation des communautés chrétiennes d'après 70. Matthieu, en particulier,
témoigne souvent des démêlés des églises avec le
judaïsme rabbinique. Il associe grands prêtres, Pharisiens et Anciens du peuple dans une opposition unanime à Jésus et majore ainsi la force réelle du
mouvement pharisien. Après la chute du Temple, en
effet, le centre religieux d'Israël s'était déplacé géogra-
phiquement de la Judée vers la Galilée et, socialement,
de la caste sacerdotale vers celle des légistes. Le
judaïsme a survécu dans les écoles rabbiniques du Lac
et c'est avec ce judaïsme-là que les chrétiens sont entrés
en compétition. Les évangiles ont gardé des traces de
cet affrontement spirituel : des situations propres aux
communautés ecclésiales d'après 70 ont été introduites
dans le contexte de la vie publique de Jésus. Mais la
situation du pharisaïsme ancien — de 40 à 70 de notre
ère — n'était pas du tout celle du rabbinisme postérieur. Le mouvement pharisien, né dans la première
moitié du IIe siècle avant J.-C., regroupait des membres
issus de toutes les couches de la population et de tous
les milieux, principalement des commerçants et des
artisans. D'après Flavius-Josèphe [1], leur nombre fut
toujours restreint. Le mouvement souffrait d'ailleurs
de divisions internes et n'avait guère d'emprise sur la
vie politique et sociale de la Palestine ; le Sanhédrin
restait dominé par la caste sacerdotale et la noblesse
laïque. Les Pharisiens se trouvaient dans une position
marginale, tout comme les disciples de Jésus. Il n'y a
rien d'invraisemblable alors à ce que les deux groupes

---

1. Ant. Jud., XIII, 13, 5, § 373 et XIII, 14, 2, § 379. Cf. J. JERE-
MIAS, Jérusalem au temps de Jésus, Paris, 1967, p. 338. Sur le mouvement pharisien, cf. R. MEYER, « Tradition und Neuschöpfung im
antiken Judentum. Dargestellt an der Geschichte des Pharisaïs-
mus », Sitzungsberichte der sächsischen Akademie der Wissenchaften
zu Leipzig, philolog-hist. Kl., vol. 110, fasc. 2, Berlin, 1965, pp. 7-88.

aient pu, à l'occasion, se retrouver unis contre le judaïsme majoritaire et officiel [2].

Les groupes pharisiens attendaient avec un vif désir la venue du Messie et l'établissement du Règne de Dieu. Leurs idées messianiques apparaissent dans les Psaumes de Salomon, généralement datés du milieu du dernier siècle avant notre ère [3]. Le psaume 17 brosse le portrait du Messie pharisien. Il est roi de la lignée de David. Pur de tout péché et revêtu de la force d'en-haut, il est suscité par Yahvé pour délivrer Israël de ses ennemis. Roi pacifique, il rassemble les tribus dispersées et gouverne les nations païennes. Législateur, il maintient l'intégrité de la Tora, tout en levant les obscurités dont elle est entachée. Aucune trace de souffrance dans ce tableau. Les contemporains de Jésus n'étaient guère familiarisés avec l'idée d'un Messie souffrant. La plupart d'entre eux tournaient plus volontiers leur regard vers un futur où les maux du temps présent feraient place aux bénédictions d'un avenir idéal. Toutefois, les événements de la Guerre juive devaient profondément modifier la pensée rabbinique traditionnelle et hâter l'éclosion d'une théologie de la souffrance qui compte l'école de R. Aqiba et un pseudépigraphe, comme l'Apocalypse de Baruch, parmi ses témoins les plus significatifs. Il convient donc d'examiner les sources rabbiniques, si l'on veut se faire une idée plus précise de la pensée de la Synagogue ancienne concernant le Messie souffrant.

Dans le Midrash Tanhuma, R. Aqiba, mort en 135 après J.-C. [4], a développé sa conception des temps messianiques. A ses yeux, ils constituaient une période de transition tumultueuse, comparable aux quarante ans

---

2. Cf. Ac 5, 34-40 ; 15, 4-5.

3. J. Viteau, *Les Psaumes de Salomon*, Paris, 1911, p. 86.

4. P. Benoit, « Rabbi Aqiba ben Joseph, sage et héros du judaïsme », Exégèse et Théologie, II, Paris, 1969, pp. 340-379.

d'Israël dans le désert. C'est pourquoi il reconnut dans
Simon bar Kôzîbâ le Messie attendu ; le chef juif avait
dû fuir au désert avec ses troupes et une période de souffrances commençait [5]. A la fin du XIIIe siècle, on pouvait encore lire dans le Midrash Siphra Leviticus une
addition d'un contemporain d'Aqiba, R. José le Galiléen [6]. Cette addition, qui a disparu des éditions actuel-
les du Siphra Lv, interprétait le texte d'Is 53, 5-6
d'un Messie souffrant et justifiant, par son martyre,
toutes les générations. Des dits apparentés nous ont
été transmis par un certain José à propos d'un élève
d'Aqiba, le célèbre R. Tarphon, plus connu sous son
nom de Tryphon. Dans son Dialogue, Justin rapporte
aussi que Tryphon lui a affirmé plusieurs fois que le
Messie attendu serait un Messie de souffrance *(pathê-
tos)* [7].

Aquila, un autre contemporain d'Aqiba, retient l'attention. Elève comme lui de R. Eli'ézer ben Hyrcan et
de R. Josué ben Hananya, il est l'auteur d'une version
grecque de l'Ancien Testament, datée de 110 après
J.-C. Sa traduction étant délibérément plus servile que
la Septante, il est intéressant de savoir comment il a
compris certains passages significatifs du texte hébreu.
On cite souvent Is 53, 4 : « et nous l'avons considéré

---

5. Tanḥ 'qb 7b :
    Combien dureront les jours du Messie ?
    R. Aqiba disait : quarante ans !
    De même que les Israélites ont passé quarante ans au désert,
    le Messie les traînera au désert et leur laissera manger
    l'arroche et le genêt (Jb 30, 4).
6. Au témoignage de R. MARTINI, *Pugio fidei*, après 1278, édité
en 1651 par D.J. de Voisin, p. 672. Cf. J. JEREMIAS, art. « *pais
Theou* », ThW VI, pp. 694-695.
7. Justin marque toujours la différence entre les versets scriptu-
raires et les versions acceptées ou rejetées par ses adversaires ; il ne
s'appuie que sur les premières pour bâtir ses preuves christologiques. Cf. 36, 1 ; 39, 7 ; 49, 2 ; 68, 9 ; 76, 6 à 77, 1 ; 89, 1-2 et
spécialement 90, 1 : *pathein men gar kai hôs probaton achtêsesthai
oidamen*.

comme atteint *(nâgûaʿ).* » Aquila a traduit le participe passif par *aphêmenon,* « lépreux », ce qui s'explique par le fait que le participe passif de *ngʿ* prend le sens de lépreux en néo-hébreu et en araméen. Cette tradition d'un Messie souffrant se retrouve encore aux environs de l'an 200 ; R. Dosa, un élève de R. Juda ben Elʿai, lui-même disciple d'Aqiba, mentionne même la tradition d'un Messie ben Joseph mourant[8]. Ainsi, après la catastrophe nationale de 70, une école rabbinique, où s'est distingué le grand Aqiba, un Hillélite, a conservé le souvenir de l'attente d'un Messie souffrant. Rien ne permet d'affirmer qu'elle fut la première représentante d'un tel courant.

§ 2. LA LITTÉRATURE APOCALYPTIQUE

Témoins de la foi juive en la fidélité divine, les apocalypses sont solidement enracinées dans l'histoire. Le genre est né à une époque de crise et a fleuri du

---

8. Sukka 52a Bar. :
   Au Messie ben David qui se manifestera en nos jours,
   le Saint — béni soit-il — dira :
   « Demande-moi quelque chose et je te le donnerai »
   (Ps 2, 7-8).
   S'il voit alors que le Messie ben Joseph a été tué,
   il lui répondra :
   « Maître du monde, je ne te demande que la vie... »
   La baraita est une sentence anonyme qui s'est conservée hors *(bar)* de la Mishna, mais remonte à la même époque et, souvent, à une très haute antiquité.
   Par ailleurs, la question du Messie b. Joseph est loin d'être résolue. Ou bien il a émergé tout à coup vers 150 ap. J.-C., sans aucun appui dans la tradition, et il serait alors une création des rabbins provoquée par les vicissitudes de la révolte de Bar Kôkhbâ', ou bien il remonte à une tradition pré-chrétienne. Cf. BILLERBECK II, pp. 292 ss.

IIe siècle avant au Ier siècle après J.-C. Les auteurs invitaient leurs lecteurs à lire le passé de la nation pour y découvrir, en vue de l'avenir, la providence de Dieu à l'œuvre. En effet le Juif, qui récitait le *Shema'*, proclamait la souveraineté de Dieu sur Israël, mais devait aussi constater que cette seigneurie était limitée par le fait de la souveraineté des « nations » sur le peuple élu. Une tension existait entre l'autorité de Yahvé et celle des païens, mais Dieu aurait le dernier mot, lui qui était déjà intervenu directement dans le cours de l'histoire pour relever Israël.

1. Le livre de Daniel

Deux apocalypses témoignent de la ferveur de l'attente messianique, mais aussi de son évolution dans le temps : les chapitres 7 à 12 de Daniel [9] et les Paraboles de l'Hénoch éthiopien. Dn 7 se divise en trois péricopes. La première (vv. 2-7.11b-12) décrit la vision de quatre bêtes, symboles de quatre royaumes terrestres dont les souverains furent réputés pour leur cruauté [10]. La deuxième, formée des vv. 9-10.13-14, pourrait provenir d'une source littéraire plus ancienne que celle de la vision des bêtes [11] ; elle décrit la vision de l'Ancien des jours et du Fils de l'Homme :

---

9. Dn est habituellement daté de 166-164 av. J.-C.

10. Les quatre royaumes sont le royaume babylonien, le royaume des Mèdes, le royaume perse et, enfin, le royaume macédonien d'Alexandre le Grand.

11. On est en droit de penser que l'auteur a mélangé le contenu de deux visions préexistantes dont l'une (en prose) décrivait la fin des royaumes terrestres et l'autre (dans un style hiératique), la venue glorieuse du Règne. Il réalisait ainsi une seule vision apocalyptique, mais à deux tableaux. Cf. L. DEQUEKER, « Dn VII et les Saints du Très-Haut », ETL 36, 1960, pp. 361-362.

v. 9 Je regardais jusqu'à ce que des trônes furent placés
et qu'un Ancien des jours s'assit :
son habit, blanc comme la neige ;
les cheveux de sa tête, purs comme la laine ;
son trône, des flammes de feu,
et ses roues, de feu ardent.

v. 10 Un fleuve coulait
et jaillissait de devant lui.
Mille milliers le servaient
et une myriade de myriades se tenaient devant lui.
Le tribunal s'assit
et les livres furent ouverts.

v. 13 Je regardais dans mes visions nocturnes et voici :
sur les nuées du ciel,
venait comme un Fils d'homme ;
il s'avança jusqu'à l'Ancien des jours
et on le fit s'approcher de lui.

v. 14 A lui furent donnés la domination,
la gloire et le règne,
et tous les peuples, les nations et les langues le servirent.
Sa domination est une domination éternelle,
qui ne passera pas,
et son royaume ne sera pas détruit.

L'Ancien est Yahvé, mais qui est ce « Fils d'homme », ce *kebar enash* ? La scène décrite par Dn est un jugement, comme l'indiquent le v. 10 et la présence du feu eschatologique [12]. L'expression « sur (*'im*) les nuées du ciel » du v. 13 indique une ouranophanie ; l'action se déroule dans la sphère céleste dont

---

12. L'origine du fleuve de feu est iranienne. Cf. J. SCHMITT, « Le milieu baptiste et Jean le Précurseur », *Exégèse biblique et judaïsme, Revue des Sciences religieuses* 176-178, 1973, p. 394.

les nuées sont le symbole [13]. Le Fils d'homme est introduit auprès de l'Ancien ; le verbe *qrb* s'emploie pour
une audience royale, audience dont le v. 14 expose le
résultat. Cette figure mystérieuse a une apparence
humaine ; la particule de comparaison *k* ne définit
que la ressemblance extérieure, sans renseigner sur la
nature profonde de la personne. Le Fils de l'Homme se
situe ainsi sur le même plan que les animaux qui ont
précédé son apparition ; c'est un symbole. Le terme
de comparaison entre les quatre bêtes et lui est l'exercice du pouvoir. Au Fils de l'Homme est confiée la
domination éternelle, alors que les empires terrestres
perdent leur puissance. Il n'est pas le représentant d'un
peuple ou d'un royaume déterminé, mais le symbole
de la seigneurie divine à la fin des temps [14]. « Ce jour-
là », la victoire de Dieu sur les païens sera totale.

La dernière péricope expose l'explication que donne
l'ange des deux tableaux précédents. Les vv. 17-18
résument l'interprétation traditionnelle :

Ces grandes bêtes — au nombre de quatre — sont
quatre rois
qui se lèveront de la terre.
Et les saints du Très-Haut recevront le royaume
et posséderont le royaume pour l'éternité
et d'éternité en éternité.

A partir du v. 19, l'auteur s'est uniquement préoccupé
de l'exégèse de la quatrième bête, celle qui « est différente de toutes les autres » et qui représente le dernier
grand souverain, Alexandre de Macédoine. Ces deux
explications seraient l'œuvre de l'auteur maccabéen

---

13. L. Dequeker, art. cité, p. 356, note 6 ; C. Colpe, art. *ho
huios tou anthrôpou*, ThW VII, 1969, p. 423.
14. Sur la figure messianique du Fils de l'Homme, cf. C. Colpe,
art. cité, pp. 403-481 ; J. Jeremias, *Théologie du Nouveau Testament*, I, Lectio divina 76, Paris, 1973, pp. 335-345.

qui a appliqué à l'époque d'Antiochus IV Epiphane, un successeur d'Alexandre, la vision primitive des quatre bêtes et du Fils de l'Homme. C'est encore lui qui aurait ajouté une première série d'additions constituées par les vv. 8.11a.20a.24.25a :

8   Je considérais les cornes et voici :
une autre corne, petite, sortit d'entre elles,
et trois des précédentes cornes furent arrachées devant elle.
Et voici, des yeux comme des yeux d'hommes étaient sur cette corne,
et une bouche qui disait des choses.

11a   Je regardais alors, à cause du bruit des paroles hautaines prononcées par la corne...

20a   et au sujet des dix cornes de sa tête.
et de l'autre qui était sortie et en face de laquelle trois cornes étaient tombées ;
et de cette corne qui avait des yeux et une bouche parlant hautainement, et dont l'apparence était plus grande que celle de ses compagnes.

24   Les dix cornes sont dix rois qui se lèveront de ce royaume.
Un autre se lèvera après eux ;
il sera différent des trois précédents et il abaissera trois rois.

25a   Il prononcera des paroles contre le Très-Haut,
fera du mal aux saints du Très-Haut.

Les dix cornes symbolisent les successeurs d'Alexandre, dont l'identification est malaisée. La onzième, d'abord toute petite, mais qui grandit et renverse les trois qui la précèdent, est Antiochus. Il blasphème contre le Très-Haut et ses dévots. Qui sont les « saints du Très-Haut » ? L'adjectif *qâdosh* désigne généralement

des êtres surnaturels, le plus souvent des anges [15]. Le
v. 25a peut se comprendre comme la rébellion d'Antiochus contre Yahvé et ses anges. Le v. 18 confie la
royauté aux saints du Très-Haut, ce que faisait déjà le
v. 14 pour le Fils de l'Homme. Il s'est opéré un glissement dans le symbolisme : de figure de la seigneurie
eschatologique de Dieu, le Fils d'homme est devenu,
dans un premier stade de l'interprétation, un membre
de la cour divine qui représente la cour céleste qui exer-
cera à la fin des temps tous les pouvoirs auparavant
dévolus aux royaumes terrestres.

Un dernier rédacteur aurait encore ajouté au texte
de nouveaux détails visant moins la personne et les
blasphèmes d'Antiochus que ses persécutions contre
les Juifs (vv. 21.22b.25bc) :

21   (Je regardais) et cette corne avait fait la guerre
       aux saints et exerçait son pouvoir sur eux.
22b   ... et que le temps arrive pour les saints de pos-
       séder le royaume.
25bc   ... aura l'idée de changer les temps et la loi.
       Ils seront livrés entre ses mains pour un temps,
       des temps et la moitié d'un temps.

D'après le contexte, l'auteur interprète les saints
du Très-Haut non plus comme des personnages célestes,
mais comme les Juifs fidèles, les « saints » du peuple
élu, en fait tous ceux qui entreprirent de résister à la
persécution religieuse d'Antiochus. Le dernier verset
contient des allusions précises aux temps maccabéens.

---

15. CD 20, 8 : « car il a été maudit par tous les saints du
Très-Haut », soit l'expression *qdwshy 'lyiôn* qui est l'équivalent
hébreu de la formule araméenne de Dn. Les « saints du Très-
Haut » sont les gardiens préposés à la communauté qumranienne.
Cf. L. DEQUEKER, art. cité, pp. 391-392 ; C. COLPE, p. 424 ;
E. COTHENET, « Le Document de Damas », J. CARMIGNAC, *Les Textes
de Qumrân traduits et annotés*, II, p. 179, note 11.

Antiochus a voulu modifier « les temps et la loi », les fêtes juives et les commandements de Dieu, et les saints furent « livrés entre ses mains » pour le temps d'une persécution. C'est à ces martyrs que le v. 22b promettait le royaume. De la domination universelle des anges, le dernier rédacteur est passé à l'idée d'un royaume d'origine divine, mais conféré aux fidèles de Yahvé. Le Fils de l'Homme devenait ainsi le représentant du véritable Israël qui prendrait la place des empires terrestres. Le Fils de l'Homme, introduit auprès de l'Ancien, devenait le peuple fidèle au Seigneur.

Deux passages permettent d'identifier les dévots d'une manière plus précise. En Dn 11, 33.35, on lit :

> Les doctes du peuple en instruiront beaucoup,
> mais ils chancelleront atteints par l'épée, la flamme,
> l'exil et le pillage pendant des jours.
> Parmi les doctes, certains chancelleront pour que, au milieu d'eux, ils soient éprouvés par le feu, purifiés et blanchis jusqu'au temps de la fin, car il y aura encore un temps fixé.

Les doctes étaient les Hasîdîm, les « pieux », ceux qui ne s'étaient pas soumis à la volonté d'Antiochus et avaient préféré la lutte armée à l'apostasie. Ils avaient enseigné la fidélité au peuple et certains étaient tombés victimes de la persécution. D'après le v. 35, des tourments devaient éprouver la constance des fidèles ; ceux qui en étaient sortis vainqueurs devaient être revêtus du vêtement blanc du juste [16]. Le second passage décrit peut-être leur condition eschatologique (Dn 12, 2-3) :

> Beaucoup de ceux qui dorment au pays de la poussière se réveilleront : ceux-ci pour la vie éternelle ; ceux-là pour l'horreur éternelle. Les doctes brilleront

---

16. Cf. Ap 7, 14.

comme l'éclat du firmament, et ceux qui en ont justifié beaucoup, comme les étoiles, pour l'éternité et pour toujours.

Dn 12, 2-3 parle de résurrection et représente le premier texte qui, chronologiquement, affirme une résurrection des justes et des méchants [17]. M. Delcor [18] l'a rapproché d'Is 53, 11 :

par sa connaissance, mon serviteur juste justifiera les multitudes.

Si le rapprochement est correct, Dn 12, 3 pourrait représenter une des interprétations les plus anciennes du poème du Serviteur souffrant.

En résumé, les Juifs restés fidèles à la Loi furent l'objet de brimades et de persécutions sous le règne du Séleucide Antiochus IV. La révolte s'organisa autour des Maccabées auxquels se joignirent pour un temps les Ḥasîdîm, observants fidèles et zélateurs de la Loi [19]. Ces doctes enseignèrent la fidélité au peuple malgré l'épreuve et souffrirent la persécution voire le martyre (Dn 11, 33 et 7, 25b). Identifiés au Fils de l'Homme, ils recevront finalement le pouvoir éternel. Le Fils de l'Homme, en effet, sera jugé digne de la gloire et introduit auprès de l'Ancien. Cette intronisation, décrite en Dn 7, 13-14, aura lieu dans la sphère céleste selon

---

17. Le second texte serait alors Is 26, 19, si on peut le dater de 145 av. J.-C.

18. « Le Livre de Daniel », *Sources bibliques*, Paris, 1971, p. 256. Cf. L. GINSBERG, *The oldest Interpretation of the Suffering-Servant*, VT, 1953, pp. 402-403.

Aussi Targ. Is 53, 11 :
par sa sagesse, il justifiera les justes afin d'en ramener un grand nombre sous la Loi.

19. La rupture fut consommée avec la persécution que déclencha vers 107 av. J.-C. l'Asmonéen Alexandre Jannée contre les Pharisiens. Ceux-ci trouvèrent refuge au Khirbet Qumrân.

un mouvement de bas en haut. Le Fils de l'Homme ne sera donc glorifié qu'après être passé par la souffrance.

2. LES PARABOLES D'HÉNOCH

Compilation littéraire de traditions apocalyptiques, l'Hénoch éthiopien se signale aussi par une figure de Fils d'homme, mais celle-ci n'apparaît que dans les chapitres 37 à 71, encore appelés Livre des Paraboles, pour lesquels C. Colpe [20] a proposé comme dates extrêmes de rédaction l'invasion parthe de 40 à 38 avant J.-C. et la destruction de Jérusalem en 70 [21]. Si Dn se contentait de décrire l'intronisation eschatologique du Fils de l'Homme, l'auteur des Paraboles cherche à en tirer les conclusions théologiques. Après l'audience auprès de la « Tête des jours », le Fils d'homme apparaît comme juge des « nations » et comme protecteur de la communauté des élus. Les ch. 46 et 69 le dépeignent comme juge :

> Le Fils d'homme que tu as vu fera lever les rois et les puissants de leurs couches, et les forts de leur siège ; il rompra les reins des forts et il brisera les dents des

---

20. Art. cité, p. 425, note 80.

21. La thèse de J.T. MILIK, *Dix ans de découvertes dans le désert de Juda*, Paris, 1957, p. 32 ne paraît plus soutenable. L'auteur attribuait les Paraboles à un auteur judéo-chrétien du IIe siècle et basait son hypothèse sur l'absence de celles-ci dans les grottes de Qumrân. A. DUPONT-SOMMER, *Les écrits esséniens découverts près de la mer Morte*, Paris, 1959, pp. 312-313, faisait déjà remarquer que l'absence des Paraboles dans les fragments qumraniens traduisait seulement le fait qu'aucun de ces manuscrits ne renferme la compilation dans son état définitif. J. JEREMIAS, art. « *pais Theou* », ThW V, 1954, p. 686, note 245, a déduit la date de la composition à partir de Hén. éth., 56, 5-7 qui fait allusion à l'invasion des Parthes. Sur cette discussion, cf. M. BASTIN, « L'annonce de la Passion et les critères d'historicité », *Revue des Sciences religieuses*, à paraître en juillet 76.

pécheurs. Il renversera les rois de leurs trônes et de leur pouvoir, parce qu'ils ne l'ont pas glorifié et qu'ils n'ont pas reconnu humblement d'où leur avait été donnée la royauté.

Il renversera la face des forts et il les remplira de honte ; les ténèbres seront leurs demeures et les vers seront leur couche et ils ne pourront pas espérer se soulever de leur couche, parce qu'ils n'ont pas exalté le Seigneur des esprits (46, 4-6).

Il s'est assis sur le trône de sa gloire et la somme du jugement a été donnée au Fils de l'Homme. Il s'éloignera et il détruira les pécheurs de devant la face de la terre, et aussi ceux qui ont séduit le monde (49, 27).

Intronisé pour exercer le jugement sur les païens qui n'ont pas reconnu l'origine de leur pouvoir, le Fils de l'Homme sera aussi le témoin des justes :

Il sera un bâton pour les justes afin qu'ils puissent s'appuyer sur lui et ne pas tomber ;
Il sera la lumière des peuples et l'espérance de ceux qui souffrent dans leur cœur, car c'est par son nom qu'ils seront sauvés, et il est devenu le vengeur de leur vie (48, 4-7).

Les Paraboles complètent l'information fournie par les ch. 7 à 12 de Dn[22]. L'Hénoch éthiopien met en scène deux personnages homonymes. L'Hénoch terrestre, modèle de piété et de sagesse, fut le témoin de Dieu auprès de la génération prénoachique et fut transporté dans le paradis, sans faire l'expérience de la mort. Bien que ravi au ciel, il ne put cependant être exalté, car la glorification céleste comporte deux temps,

_____

22. Sur le sens originel du signe du Fils de l'Homme dans Dn et son évolution dans Hén. éth., voir P. GRELOT, « L'intronisation du Fils de l'homme, Dn 7, 13-14 », *Assemblées du Seigneur* 65, Paris, 1973, pp. 30-75.

le passage de la condition terrestre à la condition céleste et l'investiture dans les fonctions de juge des « nations » et de témoin des élus. Le premier Hénoch, qui devait revenir sur terre, ne put ni changer de condition ni exercer de fonction eschatologique. Il fut mis en réserve pour les derniers temps. Alors, il reviendrait pour accomplir un second ministère en tout semblable au premier et serait finalement intronisé comme Fils de l'Homme [23]. Les Paraboles nous montrent, en fait, le premier Hénoch ravi au ciel et contemplant son *alter ego* exalté dans l'exercice de ses fonctions eschatologiques. Intronisé, le Fils de l'Homme ne connaît pas la souffrance ; aussi le Fils d'homme hénochique ne présente-t-il aucun caractère d'affliction. Il est alors d'autant plus intéressant de signaler que les Paraboles lui prêtent des traits du Serviteur des oracles deutéro-isaïens [24]. Tels sont les caractères du Fils de l'Homme qui se dégagent de la littérature apocalyptique. Livré aux mains des persécuteurs, il est finalement, selon Dn 7, intronisé dans la gloire céleste ; intronisé, il est contemplé dans son rôle eschatologique par le voyant des Paraboles d'Hénoch.

§ 3. LA LITTÉRATURE PIÉTISTE

La foi juive en la fidélité de Yahvé ne s'est nulle part mieux exprimée que dans le monde des « Pauvres », des 'Anawîm. Le Magnificat néo-testamentaire,

---

23. Cf. A. STROBEL, *Kerygma und Apokalyptik. Eine religionsgeschichtliche und theologische Beitrag zur Christusfrage*, Gœttingue, 1967, pp. 67-71.
24. Cf. J. JEREMIAS, art. cité, p. 686.

qui reflète probablement un original sémitique [25], provient de ce milieu qui se sait complètement dépendant de Dieu seul. Yahvé ne peut pas abandonner pour toujours celui qui a mis en lui sa confiance. S'il est persécuté, livré à des mains hostiles, le « pauvre » sera, après le temps d'épreuve, élevé à une gloire plus grande.

Bien que né dans la Synagogue, le Targum d'Isaïe 52-53 reflète la spiritualité des 'Anawîm mais, pour la découvrir, il faut soumettre le texte à un examen approfondi qui permette de se faire une idée plus précise encore du sentiment du Judaïsme ancien vis-à-vis du Messie souffrant. L'étude de quelques textes rabbiniques [26] nous a laissé entrevoir qu'une école, celle d'Aqiba, avait conservé des vestiges de l'attente d'un Envoyé marqué par la souffrance. La conclusion se vérifie-t-elle pour la littérature targumique ? La recherche est difficile. Les autorités juives, en effet, se sont très tôt préoccupées de contrôler la tradition haggadique, et les versions non officielles des targums, qui prolongeaient parfois le texte biblique dans un sens favorable aux thèses chrétiennes, ont progressivement disparu. Mais il est reconnu que les targums écrits sont le résultat d'une réflexion antérieure qui s'est prolongée durant plusieurs siècles. Le Targum officiel des Prophètes, dit de Jonathan ben Uzziel, rédigé en Babylonie, entre le IIIe et le IVe siècle chrétien, à partir de matériaux divers mais essentiellement d'origine palestinienne, aurait conservé des traditions exégétiques très anciennes. P. Grelot [27] a montré l'existence d'une

---

25. P. Benoit et M.-E. Boismard, *Synopse* II, § 6, p. 62.

26. Cf. pp. 20-22.

27. « *L'exégèse messianique d'Isaïe 53, 1-6* », dans RB 70, 1963, pp. 371-380. Sur l'ensemble du problème, voir R. le Déaut, « Les études targumiques », *De Mari à Qumrân. L'Ancien Testament. Son milieu. Ses écrits. Ses relectures juives,* Hommage à Mgr J. Coppens, Gembloux-Paris, 1969, pp. 302-331.

interprétation messianique d'Is 63, 1-6 que suppose d'ailleurs Ap 19, 13.15. Enfin, la probabilité d'une utilisation du Targum dans plusieurs passages du *pêshèr* d'Habaquq a été établie [28].

La comparaison des ch. 42 et 49 du Targ. Is. avec le texte hébreu montre la similitude des missions du Serviteur dans les deux versions. Son rôle auprès d'Israël est fortement souligné ; il doit libérer les captifs et ouvrir les yeux du peuple devenu aveugle à la Loi. Par ailleurs, il doit enseigner la Tora aux « nations ». Le quatrième chant précise d'emblée que le Serviteur est le Messie :

> Voici que mon Serviteur le Messie prospérera,
> il grandira, s'élèvera, sera grandement exalté (52, 13).

Mais alors que la version massorétique d'Is 52, 13-15 décrit l'abaissement et la souffrance du Serviteur, le Targum reporte la petitesse sur Israël, obscur parmi les autres peuples.

Le ch. 53 annonce les temps messianiques. L'aspect du Messie sera celui d'un saint, son éclat pareil à celui de Moïse :

> Son aspect n'aura rien de commun avec celui d'un homme ordinaire ;
> la crainte respectueuse qu'il inspirera ne ressemblera pas à celle qu'inspire le vulgaire ;
> son apparition sera celle d'un saint,
> quiconque le verra ne pourra détacher de lui ses regards (53, 2b).

---

28. Cf. P. KAHLE, *The Cairo Geniza*[2], Oxford, 1959, p. 196.
Aussi l'exégèse messianique de Mi 5, 2 :
> Et toi, Bethléem...
> de toi sortira devant moi le Messie.

On peut comprendre que l'interprétation se soit maintenue après la naissance du christianisme, non qu'elle s'y soit introduite.

Le Serviteur du texte hébreu porte les péchés du peuple et se charge des douleurs de la nation ; le Targum atténue le caractère rédempteur du Messie. L'Ebed joue avant tout un rôle d'intercesseur pour les péchés du peuple dans la voie ouverte par Moïse :

Aussi il intercédera pour nos péchés
et nos transgressions seront pardonnées à cause de lui,
alors qu'on nous croit réprouvés,
frappés par YHWH et affligés (53, 4).

Le v. 12 souligne aussi le rôle d'intercession :

C'est pourquoi je lui donnerai les dépouilles de beaucoup de peuples,
il distribuera comme butin les trésors des villes-fortes,
parce qu'il a livré *(dimsâr)* sa vie à la mort
et contraint les révoltés à se soumettre à la Loi divine.
Lui-même intercédera pour une foule de péchés ;
à cause de lui les rebelles seront pardonnés.

Le sens du v. 12c est encore discuté. Le texte massorétique dit que le Serviteur de Dieu « versa sa vie dans la mort ». La Septante ajoute l'idée de suppléance et écrit un passif théologique ; c'est Dieu qui a livré son Serviteur à la place des puissances :

anth'hôn paredothê eis thanaton hê psychê autou

La version targumique ne contient ni passif théologique ni idée de suppléance. Le Serviteur-Messie est récompensé pour avoir « livré sa vie à la mort » et contraint les révoltés à se soumettre. Pour le verbe « livrer à la mort », beaucoup de critiques ne retiennent qu'une signification minimaliste ; *msr* n'évoquerait que le zèle du Messie qui se donne tout entier pour amener les rebelles à la soumission[29]. D'autres auteurs, en revanche, sont d'avis qu'il est difficile de ne voir dans l'attitude de l'Ebed que le dévouement d'un Messie qui méprise la mort[30]. Il faut aussi noter que les versions hébraïque et araméenne signalent le mépris dont le Serviteur fut l'objet (53, 3). S'il exerce le jugement sur les « nations » qu'il conduit à l'abattage, il libère Israël de l'esclavage et le purifie jusqu'à ce qu'il adopte la Loi de Yahvé pour norme de vie. Purifié, le peuple se multipliera sur la Terre sainte (53, 2) ; des fils et des filles naîtront en grand nombre ; la race sainte contemplera son Messie et vivra longtemps :

Tel fut le bon plaisir de YHWH :
purifier et justifier le reste de son peuple,
le nettoyer de ses péchés.
Ils contempleront le règne de leur Messie,
ils auront des fils et des filles en grand nombre,
ils vivront longtemps.
Ceux qui obéissent à la Loi de YHWH
prospéreront sous son regard bienveillant (53, 10).

---

29. Ainsi G. DALMAN, *Der leidende und der sterbende Messias der Synagoge im ersten nachchristlichen Jahrtausend*, Berlin, 1888 ; P. HUMBERT, « Le Messie dans le Targum des Prophètes », RThPh 44, 1911, p. 243 ; M.-J. LAGRANGE, *Le Messianisme chez les Juifs*, Paris, 1909, p. 243, parle d'une « généreuse audace » ; plus nuancé, W. POPKES, « Christus traditus. Eine Untersuchung zum Begriff der Dahingabe im Neuen Testament », *Abhandlungen zur Theologie des Alten und Neuen Testaments* 49, Zurich, 1967, p. 219, refuse l'image d'un Messie souffrant, tout en faisant remarquer que la version targumique appuie d'une certaine façon la Septante.

30. Cf. J. BONSIRVEN, *Le judaïsme palestinien au temps de Jésus-Christ*, Paris, 1934, p. 383, note 2 ; R. A. AYTOUN, « The Servant of the Lord in the Targum », JTS 23, 1922, p. 177, considère 53, 12c comme une omission remarquable qui contredit le prudent travail d'expurgation du targumiste. Que Jésus ait risqué sa vie est certain : voir pp. 54-55.

Les procédés des targumistes officiels sont particulièrement repérables au niveau du v. 5. Le texte massorétique dit que le Serviteur fut « souillé » par les péchés du peuple ; le Targum parle aussi d'une profanation, mais c'est celle du Temple que le Messie doit rebâtir ; enfin, la Septante comprend que le Serviteur fut « blessé ». Les différences de traduction s'expliquent par l'ambivalence de *hâlal* qui peut se traduire par « rendre impie, profaner » ou par « percer, blesser ». Plus obscur est le glissement vers le Temple opéré par le Targum. On lit :

> C'est lui qui rebâtira le Temple
> qui fut profané à cause de nos péchés,
> livré à cause de nos forfaits.

G. Dalman [31] considérait la première relative comme une glose et traduisait :

> Lui (le Messie)
> profané à cause de nos péchés,
> livré à cause de nos forfaits [32].

Il est remarquable qu'une fois la glose supprimée, on obtient un parallélisme synonymique pour le texte

---

31. *Aramaïschen Dialektproben*, Darmstadt, 1960 (réédition), p. 10, note 35.

32. J. F. STENNING, *The targum of Isaiah*, Oxford, 1949, p. 181, note 5, a la même opinion : le *dalet* araméen, signe du relatif, de l'expression *dytthl* (profané) est une partie de la glose. H. HEGERMANN, *Jesaja 53 in Hexapla, Targum und Peschitta*, Gütersloh, 1964, pp. 66. 94. 110, a montré que la transcription targumique d'Is 53 était liée aux lettres du texte hébreu, ce qui permet d'apprécier les remaniements du texte. Voir aussi K. HRUBY, « Die Rabbinische Exegese messianischer Schriftstellen », *Judaïca* 21, 1965, pp. 100-122.

CD 20, 23 indique aussi que le Temple fut profané ; or jamais le Temple ne fut aussi gravement souillé que sous Antiochus. Targ. Is 53, 5 ne ferait-il pas allusion à la même réalité ?

hébreu et la traduction araméenne : un même pronom personnel *hû'*, deux verbes et deux substantifs, ceux-ci introduits par la même particule « à cause de ». Rm 4, 25a *(hos paredothê dia ta paraptômata hêmon)* rejoint le second membre du parallélisme et s'expliquerait convenablement par l'existence d'une version targumique antérieure au texte actuel. Paul dépendrait ainsi plutôt de la version araméenne que de la Septante [33]. Par conséquent, on ne peut pas exclure que le Targ. Is 53, 5b ait fait primitivement allusion à une *traditio* du Messie-Serviteur, corrigée ultérieurement par l'addition d'une citation tirée probablement de Za 6, 13.

Riche d'enseignements aussi est la comparaison du Serviteur du Targum avec le Fils de l'Homme des Paraboles. L'Hénoch éthiopien évoque l'ère messianique. Le voyant contemple le Fils de l'Homme dans l'exercice de sa double fonction eschatologique. Quelle qu'ait été sa situation antérieure, l'exaltation a libéré le Fils de l'Homme de la souffrance. Le Messie-Serviteur doit aussi juger les « nations » et purifier Israël. Ce n'est qu'après l'accomplissement de cette mission que la race sainte pourra se multiplier en Palestine. Autrement dit, ce n'est qu'une fois achevée l'œuvre du Serviteur que les temps messianiques commenceront. Or, avant l'établissement des temps messianiques, la souffrance a sa place. Si le Messie doit éclipser un jour la gloire de tous les royaumes, il aura néanmoins connu le mépris (v. 3) ; s'il doit distribuer un jour les dépouilles de nombreux peuples, c'est après avoir livré sa vie à la mort (v. 12). Si les Paraboles ont prêté au Fils de l'Homme des particularités propres au Serviteur deutéro-isaïen, la tradition targumique a enrichi Is 52-53 de traits apocalyptiques [34].

---

33. Cf. W. POPKES, *o. c.*, p. 35.

34. La Peshitta, d'origine pré-chrétienne et formée sous l'influence de l'ancienne paraphrase araméenne de la Bible, reproduit

§ 4. JEAN-BAPTISTE ET LA LITTÉRATURE QUMRANIENNE

Bien qu'issu d'un milieu sacerdotal dont l'eschatologie faisait l'économie de toute figure messianique [35], Jean s'était fait le héraut d'un Messie humain, baptiste et qui sortirait de son groupe. Il a mis ses espoirs dans la personne d'un de ses disciples [36]. Il a annoncé qu'il baptiserait « dans le souffle et le feu » (Mt 3, 11 et par.). Le portrait dérive en ligne droite de la tradition prophétique, notamment de l'oracle de Ml 3, 2b-4 sur le baptême des « fils de Lévi » par « le feu du fondeur et la lessive des blanchisseurs » [37]. Le baptême « dans l'Esprit » nous ramène au thème de la rénovation anthropologique. Déjà présente chez Isaïe (65, 17), dans sa composante cosmologique, l'idée est passée chez Jérémie qui postulait la restauration du peuple et de l'individu, malgré la faillite religieuse d'Israël. Jérémie hésitait encore à préciser ce qui devait être rénové dans l'homme et parlait du « cœur » (32, 39). Ezéchiel allait clarifier la réponse et inaugurer un vocabulaire qui deviendrait bien vite traditionnel. Puisant dans les catégories sacerdotales, il a traduit l'idée de « purification » par la notion de « nouvelle création », le concept de « lustration » par celui d' « esprit nou-

---

indirectement le texte scripturaire utilisé en Palestine avant la rédaction définitive.

35. Comme l'atteste clairement Lc 1, 17.

36. La qualité de disciple se dégage des formules « celui qui vient » ou « se tient derrière moi » (Mc 1, 7 et par. et Jn 1, 30).

37. Bien que le thème iranien du « fleuve de feu » fût reçu dans l'apocalyptique juive (Dn 7, 10 ; Hén. éth. 17, 5), ni Daniel ni l'Hénoch éthiopien n'ont marqué la pensée johannite, comme l'a rappelé J. SCHMITT, « Le milieu baptiste et Jean le Précurseur », *Exégèse biblique et judaïsme*, *Revue des Sciences religieuses* 176-178, 1973, p. 394.

veau » [38]. L'oracle prophétique devait d'ailleurs trouver
sa réplique piétiste dans la prière du Ps 51, 4.9.12-14 [39].
Mieux, le thème de la re-création s'affirmait, puisque
le psaume épurait encore le vocabulaire en parlant
de « créer » un cœur pur. Enfin, les milieux dualistes
opéraient un glissement. Le « souffle de Yahvé » y
devenait l'Esprit de vérité ou de sainteté, opposé à
l'esprit d'erreur ou d'impiété. Il n'était plus seulement
le principe de la rénovation anthropologique, mais il
devenait la condition de l'homme purifié. Avec 1 QS 4,
18-22, Qumrân a gardé des alluvions de la grande tradition baptiste [40] :

Mais Yahvé, en ses mystères d'intelligence et en sa
glorieuse sagesse a mis un terme pour l'existence de
la Perversité ;
au moment de la Visite, il l'exterminera à jamais.
Alors, la Vérité se produira à jamais dans le monde ;
car le monde s'est souillé dans les voies d'impiété
sous l'empire de la Perversité jusqu'au moment du jugement décisif.
Et alors, Dieu, par sa Vérité, nettoiera toutes les
œuvres d'un chacun et il épurera pour soi la bâtisse du
corps de chaque homme pour supprimer tout l'Esprit
de perversité de ses membres charnels et pour le purifier par l'Esprit de sainteté de tous ses actes d'impiété.
Et il fera jaillir sur lui l'Esprit de vérité comme de
l'eau lustrale...

---

38. Cf. Ez 36, 25-27.
39. Lave-moi de toute malice ;
de ma faute, purifie-moi...
Purifie-moi avec l'hysope : je serai net ;
lave-moi : je serai plus blanc que neige...
O Yahvé, crée pour moi un cœur pur,
restaure en ma poitrine l'Esprit de fermeté... ;
Rends-moi la joie de ton salut,
assure en moi l'Esprit de générosité.
40. Ce texte est sans parallèle à Qumrân ; partout ailleurs,
les Sectaires sont décrits comme possédant déjà l'Esprit.

Ainsi, « le texte du Ps 51, 4.9.12-14, le morceau 1 QS IV, 18-22, le *logion* johannite Mc 1, 8 par. touchant les « deux baptêmes », le récit johannique 20, 21-23, enfin, sur l' « insufflation » de l' « Esprit-Saint » aux disciples par le Christ ressuscité marquent les principaux vestiges littéraires à présent connus de ce *credo* commun à tous les cercles, voire à toutes les tendances baptistes [41] ».

Que l'idée d'un Messie restaurateur de la pureté d'Israël fût centrale à la pensée du Baptiste, deux titres appliqués à Jésus de Nazareth en témoignent. Jean a désigné Jésus comme le « Pur de Dieu » et comme le « Plus-Fort ». Il a été suggéré naguère que l' « Agneau de Dieu » de Jn 1, 29.36 devait se lire : « Voici le Pur de Dieu *(ho hagnos tou Theou)* qui ôte *(airei)* les péchés du peuple. » Le titre, typiquement baptiste, ne devait évidemment pas résister à la doctrine évangélique de la croix rédemptrice [42]. Si la parénèse archaïque de 1 Jn en donnait une paraphrase [43], le quatrième évangile l'adaptait à la sotériologie dominante, tout en gardant quelques alluvions du messianisme baptiste [44]. Quant au titre *ho ischuroteros*, sa réalité a été confirmée et sa portée précisée par le texte 1 QS 4, 18-22, déjà cité, relatif à l'Homme *(gbr)* eschatologi-

---

41. J. Schmitt, « Les Ecrits du Nouveau Testament et les textes de Qumrân. Bilan de cinq années de recherches », *Revue des Sciences religieuses* 31, 1957, p. 265.

42. Cf. M.-J. Lagrange, *L'Evangile selon Saint Jean*, Paris, 1936, pp. 39 ss. ; M.-E. Boismard, *Du Baptême à Cana (Jean I, 19 — II, 11)*, Paris, 1956, pp. 56 ss. ; J. Schmitt, *Le milieu baptiste et Jean le Précurseur*, pp. 394-395.

43. 1 Jn 3, 3 :
Quiconque a cette espérance en lui
se rend pur *(hagnizei)* comme celui-là est pur *(hagnos)*.
5 : Or vous savez que celui-là a paru
pour ôter *(airein)* les péchés,
car il n'y a point de péché en lui.

44. Cf. Jn 13, 4-10 et 15, 2b-3. Le théologoumène du Christ-agneau pascal a commandé la retouche *ho hagnos* en *ho amnos*.

que, possesseur de l'Esprit de sainteté et, à ce titre, modèle et principe des justes. Toutefois, le Messie johannite restait un messie humain. On ne lit nulle part d'allusion au Fils de l'Homme ; la « christologie » baptiste ne repose en rien sur Dn 7, 13-14. Comme toute conscience prophétique, celle du Baptiste était confuse et incomplète ; ceci explique aussi l'ambassade de Machéronte.

Comme celle de ses contemporains, l'attente de Jean fut exclusive. S'il n'identifia le « Reste » de Yahvé à aucun des cercles spirituels d'Israël et si ses disciples vinrent des rangs les plus variés de la population, Jean-Baptiste n'en a pas moins accepté que les seuls postulants qui s'affirmaient prêts à recevoir la Lumière [45]. Le dualisme de Jean laissait toute sa valeur au Jugement présenté comme l'acte salvifique majeur. L'homme devait prendre position à l'égard du salut offert et Dieu rendait alors sa décision définitive. Jean-Baptiste ne serait-il pas le type même de l' « Observant » ?

A propos de Jésus, Mt 2, 23 a écrit : « On l'appellera Nazaréen. » L'analyse lexicographique a montré que ni le vocable *nazôraios* ni son parallèle *nazarênos* ne dérivent de Nazareth [46]. Ils apparaissent plutôt comme des dénominations communautaires construites à partir de la racine *nçr*. On trouve le substantif *noçry* (pluriel *noçrym*) dans des textes rabbiniques postérieurs à 70 qui l'appliquent toujours à Jésus ou à des judéo-chrétiens. On lit, par exemple, dans le Talmud de Babylone (°A.Z. 16b/17a) :

---

45. Au témoignage du quatrième évangile : Jn 1, 31.47.
46. Cf. E. Schweizer, « Er wird Nazoraer heissen (zu Mc 1, 24 ; Mt 2, 23) », *Judentum-Christentum-Kirche*, Festschrift für J. Jeremias, Beihefte zu ZNW 26, Berlin, 1964², pp. 90-93.

R. Eli'ézer ben Hyrcan a enseigné :
Je suis un jour entré sur la place du marché de Séphoris
et j'y ai rencontré un disciple de Jésus le Noçry du
nom de Jacques, originaire du village de Kephar-
Sekhanja.

Il me dit : Il est écrit dans votre Loi : Tu ne dois
pas apporter dans la maison de Dieu le salaire d'une
prostituée (Dt 23, 19). Qu'en est-il ? A-t-on le droit d'utiliser cet argent pour installer des lieux d'aisance pour le
grand prêtre ? Je ne lui répondis rien.

Il poursuivit alors : Voici ce que Jésus le Noçry m'a
appris : C'est le produit du salaire d'une prostituée ;
que cet argent redevienne le salaire d'une prostituée
(Mi 1, 7) ; c'est tiré des immondices, que cela redevienne des immondices [47].

Quant au pluriel *noçrym*, il se lit dans la douzième
bénédiction du *Shemônê 'esré* datée du début du
IIe siècle :

Que les *noçrym* et les hérétiques soient effacés du livre
de Vie et qu'ils ne soient pas inscrits avec les justes [48].

Semblables qualifications se retrouvent aussi dans
des milieux relevant du judaïsme marginal d'après 70.
La secte baptiste des Mandéens témoigne de l'expression *naçoraya* [49]. Si *noçry* ne figure pas dans les écrits

---

47. Sur l'authenticité de la parole attribuée à Jésus, voir J. JERE-
MIAS, *Paroles inconnues de Jésus*, Paris, 1970, pp. 32-34.

48. On trouve un vocabulaire identique dans les milieux syro-
arabes qui parlent le vieux syriaque. *Noçry* devient *naçrany* (cf.
nazarênos) et *noçrym*, *naçraye*. Cf. F.C. BURKITT, *The Syriac
Forms of NT Proper Names*, 1912.

49. Les Mandéens ont constitué un groupe important du
judaïsme baptiste ; ils ont probablement été en rapport avec le
groupe johannite et le christianisme ambiant. En 35 ap. J.-C., ils
ont émigré vers l'Orient, vraisemblablement à la suite de persécutions. Malgré l'absence de témoignages littéraires, les critiques

qumraniens, on y trouve *neçer* qui désigne le « germe »,
d'où sort la plantation [50]. La question se pose de savoir
si, malgré la différence des appellations, il y a eu un
lien entre les judéo-chrétiens et les mandéens. Et si
tel est le fait, comment des groupes aussi divers ont-ils
pu porter des désignations de même origine ? On peut
également poser la question du rôle éventuel de
Qumrân. Plusieurs étymologies ont été proposées.
Noçry pourrait dériver du verbe *nâçar* qui signifie
« garder », avec le double sens d' « observer une loi »
ou de « veiller, conserver, préserver ». Les *noçrym*
désigneraient alors soit les « observants » [51], soit « ceux
que Dieu a préservés », ce qui pourrait être une désignation messianique. On a aussi proposé une origine
qumranienne [52]. Dans l'un et l'autre cas, on est renvoyé
à l'Ancien Testament, où l'ambivalence du verbe
nâçar a commandé l'évolution ultérieure. Chez beaucoup de prophètes et dans la littérature sapientielle,
il signifie « observer la Loi », condition essentielle pour
être juste. Chez le second Isaïe, il a souvent le sens de
« conserver » et s'emploie avec la forme passive. Dieu
est le gardien, celui qui préserve ; sa garde est un
aspect essentiel du salut. Les justes, les pieux, les
fidèles de l'Alliance, en fait ceux qui observent les
commandements, sont l'objet de sa protection. Le
second Isaïe renforce aussi l'ambivalence. En effet,
l'objet de la garde peut être collectif ; il s'agit des

---

ont le sentiment que, sauf preuve du contraire, les Proto-Man-
déens portaient déjà le titre de « nazoréens ». Cf. J. Schmitt, art.
« Mandéisme », DBS V, col. 758-788.

50. Il ne faut pas s'étonner du silence de Qumrân, puisque les
Sectaires avaient leurs propres appellations.

51. D'une observance à préciser.

52. On a enfin proposé le vocable *nazir* qui désigne celui qui,
par vœu, s'est consacré temporairement à Dieu et traduit son
état de consacré par diverses abstinences. Cela ne vaudrait en
tout cas pas pour Jésus (cf. Lc 7, 34).

« réchappés d'Israël » que le Serviteur a mission de ramener (42, 6.8). Il est aussi individuel ; c'est alors le Serviteur lui-même que Yahvé protège jusqu'au moment de son ministère (42, 6). Il fait partie du Reste qu'il doit sauver. Par ailleurs, le premier Isaïe présente le vocable *neçer*, notamment Is 11, 1 :

> Un rejeton sort de la bouche de Jessé,
> un germe pousse de ses racines.

La condition du *neçer* devait préparer le rapprochement entre le vocabulaire des deux Isaïe. Le concept de « germe » appelle l'idée de protection ; à cause de sa fragilité, il a plus que tout autre besoin de la protection divine. Le rapprochement s'est réalisé à Qumrân au bénéfice de la Communauté.

La littérature qumranienne est à utiliser avec beaucoup de circonspection, en tenant compte des données de l'étude stratigraphique des différentes couches littéraires et des apports de l'archéologie. On divise en trois phases les périodes d'occupation du Khirbet [53]. La première (Ia), dite d'essénisme strict, débuta vers 140 et se termina vers 110 avant J.-C., mais elle fut précédée d'une période d'environ vingt ans, pendant laquelle se constitua le parti Hasîdîm, à la suite de la réforme religieuse et des persécutions d'Antiochus. Avec le souverain séleucide commença une course au souverain pontificat ; le grand prêtre légitime Onias III, de la lignée de Sadoq, fut assassiné par un certain Ménélas, un Benjaminite, qui usurpa la dignité pontificale. Des prêtres et des laïcs se soucièrent alors de conserver le patrimoine spirituel transmis par les grands prêtres légitimes de la lignée sadocite. Ils émigrèrent d'abord

---

53. Cf. R. DE VAUX, *L'archéologie et les écrits de la mer Morte*, Paris, 1961 ; J.T. MILIK, *Dix ans de découvertes dans le désert de Juda*, Paris, 1957.

à Damas avant de s'installer à Qumrân[54]. L'activité réformatrice du Maître de justice commença vers 152, année de l'accession au souverain pontificat du Maccabée Jonathan. On lui attribue les *Hôdayôt* de la colonne II, de la colonne III, 1-18 et des colonnes IV à VIII[55], ainsi que le noyau du *Serek hayyaḥad*, 1QS 8, 1-16a + 9, 3-10, 8a[56]. La seconde phase d'occupation (Ib) — appelée phase d'essénisme teinté de pharisaïsme — s'étendit de 110 à 38 avant J.-C. Au point de vue archéologique, elle s'est caractérisée par un agrandissement considérable des bâtiments monastiques correspondant à l'accroissement numérique de la secte, dû à l'afflux des Pharisiens fuyant la persécution dont ils furent l'objet de la part des princes asmonéens. De cette époque date la presque totalité du *Serek hayyaḥad*[57], la Règle de la Congrégation (1 QSa) et le Recueil des bénédictions (1 QSb), ainsi que les Testimonia messianiques[58]. Qumrân disparut en 38, au moment où les Parthes envahissaient la Palestine. Le Khirbet ne fut réoccupé qu'en 4 avant J.-C. (période II) ; cette troisième phase d'occupation, qui se termina en 68 après J.-C. durant la première révolte juive, fut caractérisée par un essénisme décadent de tendance zélote. De cette période, la moins créative de la communauté, daterait le *4 Q Patriarchal Blessings*

54. Cf. H.H. ROWLEY, « L'Histoire de la Secte qumrânienne », *De Mari à Qumrân. L'Ancien Testament*, Gembloux-Paris, 1969, p. 296.

55. Cf. G. JEREMIAS, *Der Lehrer der Gerechtigkeit*, Gœttingue, 1963, p. 171.

56. Cf. J. MURPHY-O'CONNOR, « La genèse littéraire de la Règle de la Communauté », RB 76, 1969, pp. 529-532.

57. J. MURPHY-O'CONNOR y découvre deux strates de rédaction, le noyau formé des colonnes V et VII et les additions (I-IV et « hymne final »), mais admet que la rédaction de ces strates s'est succédée très rapidement.

58. Cf. J. STARCKY, « Les quatre étapes du messianisme à Qumrân », RB 70, 1963, pp. 481-505.

et le *4 Q Florilegium* [59]. Elle coïncida avec le début du christianisme, mais sa pauvreté littéraire interdit de grossir son influence. Les grands écrits qumraniens datent de la période I, surtout de la première phase d'occupation.

Le vocable *neçer* se rencontre dans trois Hymnes attribués au Maître de justice. Il ne le désigne jamais ; le Maître de justice n'est que le *maskîl*, « celui qui réalise la sagesse » en lui et autour de lui, qui a transmis la connaissance de l'Ecriture et greffé, sur le tronc desséché d'Israël, le « plant » qui deviendra l'Israël véritable, la « plantation d'éternité » (*mata'at*). Le Maître de justice est le jardinier, l'instrument de la conservation du *neçer* que Dieu protège. Ainsi en 1 QH 6, 15-17 :

> ... un bourgeon comme une fleur ( ) éternité
> pour faire pousser un germe *(neçer)* en bouture de plante éternelle.
> Son ombre ombragera le monde entier,
> son faîte parviendra jusqu'aux cieux
> et ses racines jusqu'à l'abîme [60]...

Dès 100 avant J.-C., le thème de la plantation ne sera plus qu'un cliché. En revanche, le concept du « plant », passé dans le groupe mandéen, conservera toute sa force. Il n'y désignera pas seulement le « plant » conservé en vue de l'avenir ; il sera le principe même de la communauté des *naçoraya* [61]. On peut en conclure qu'il y a une parenté très large entre la théologie qumranienne du germe conservé en vue de la communauté messianique et le vocabulaire mandéen du plant, principe de la communauté des nasoréens.

---

59. *Ibidem*, p. 500, note 57.
60. Voir aussi 1 QH 7, 6-10.18-21 et 1 QH 8, 4-13.
61. Cf. M. LIDZBARSKY, *Mandaïsche Liturgien*, 1920, pp. 192. 259.

Compte tenu de ces faits, et selon toute vraisemblance,
les Nasoréens désignent une ou plusieurs communautés
« messianiques » qui, conscientes de leur caractère
eschatologique, se savaient l'objet de la garde divine
et qui, pour mériter cette protection, se distinguaient
des autres groupes par une observance particulière.
Nous sommes probablement en présence d'une lecture
confluente des vocables *nâçar* et *neçer*. La communauté
de Qumrân a annoncé et préparé cette désignation
communautaire, mais ne l'a pas proposée. La période
Ia témoigne de la spiritualité de la communauté-plant
qui devient plantation et dont le Maître de justice est
le jardinier. Les autres périodes ne connaissent ni la
spiritualité ni même le vocable. Par ailleurs, la déno-
mination a été appliquée au judéo-christianisme primitif. En raison de son caractère archaïque et des
relectures auxquelles son inintelligence progressive a
donné lieu [62], on est en droit de la dater d'avant 50 avant
J.-C. On peut aussi penser qu'elle a été formée avant
d'être appliquée aux groupes judéo-chrétiens de Palestine, ce qu'attesterait sa reprise par les Mandéens. Il
est vraisemblable qu'elle naquit dans le groupe johannite, sous l'influence d'une relecture des premiers écrits
qumraniens. Jésus le Nazoréen est sorti de la communauté johannite qui se reconnaissait dans la plantation
gardée par Dieu. Il gardera d'ailleurs, tout au long
de son ministère, la nostalgie de la communauté-plant,
d'où sortirait la Communauté eschatologique [63].

L'histoire du Khirbet Qumrân explique les modifi-
cations qu'a connues l'attente messianique. La communauté sadocite a-t-elle attendu un Messie souffrant ?
Les *Hôdayôt* montrent le Maître de justice en butte à

---

62. Mt 2, 23 en est un bel exemple : Nazoréen est compris au
sens géographique.
63. Cf. pp. 120-121.

des attaques verbales et à des railleries ; peut-être même a-t-il connu la prison [64] ? Aucun texte ne semble faire allusion à des sévices corporels [65]. Plus intéressant est un bref passage du *Serek hayyaḥad*, 1 QS 8, 1-4 :

> Dans l'objectif poursuivi par la Communauté, douze hommes et trois prêtres, parfaitement au courant de toutes les vérités dévoilées à partir de toute la Loi, seront destinés à pratiquer fidélité, justice, droit, charité, bienveillance, humilité de conduite, chacun envers son prochain ; à garder la fidélité dans le pays par un caractère ferme et un esprit brisé ; *à expier l'égarement,* grâce à ceux qui pratiquent le droit et subissent l'angoisse de la fournaise ; et à se comporter envers tous en attitude de fidélité et en respectant la distribution du temps.

Le passage est très archaïque ; la communauté de quinze membres semble encore à l'état de projet. Son rôle est analogue à celui des justes de Sodome (Gn 18, 17-23) qui devaient attirer sur le pays la bienveillance divine, en ce sens que Dieu éviterait de frapper le pays pour ne pas punir du même coup les justes qui s'y trouvaient. La ligne suivante (1 QS 8, 6) applique Is 53, 1-12 à la Communauté expiant l'égarement d'Israël :

> La Maison de Sainteté pour Israël et le Conseil du Saint des Saints pour Aaron seront les témoins de la fidélité à la justice et les adeptes de la volonté de Dieu pour obtenir l'*expiation (lkphr)* en faveur du pays et pour rendre aux impies leur rétribution [66].

---

64. 1 QH 2, 9-10.11-12.16.20-24 ; 1 QH 5, 32-38 ; 8, 27-36.
65. Cf. J. CARMIGNAC, « Les éléments historiques des Hymnes de Qumrân, RQ 6, 1960, pp. 205-222 ; « La théologie de la souffrance dans les Hymnes de Qumrân », RQ 11, 1961, pp. 365-386. L'auteur reconnaît qu'étant donné le genre littéraire des *Hôdayôt,* il est difficile de retrouver des données objectives.
66. Sur le sens de *kphr,* voir p. 91.

Maintenir la justice, purifier le pays, punir les impies, tels sont les travaux du Messie-Serviteur du Targum ; ils sont ici dévolus à la Communauté encore en germe, mais qui doit grandir en plantation d'éternité.

La période Ib est parfois encore divisée en deux phases appelées respectivement « asmonéenne » et « pompéienne ». La première, marquée par l'arrivée massive des Pharisiens, se caractérise par un réveil du messianisme ; la Communauté attendait un Messie sacerdotal et un Messie royal, celui-ci constituant l'apport particulier des Pharisiens. La deuxième, qui commença avec la chute de Jérusalem en 63 avant J.-C., vit les prérogatives messianiques se concentrer sur un « Consacré » unique, l'oint d'Aaron et d'Israël. Pour la période asmonéenne, J. Starcky a cité un manuscrit de la grotte 4, dont l'écriture est proche de celle des Testimonia et auquel il a donné le sigle 4 QAhA. Ce manuscrit pourrait évoquer un Messie souffrant dans la perspective ouverte par les poèmes du Serviteur :

> Il fera l'expiation pour tous les fils de sa génération et il sera envoyé à tous les fils de son ( ). Ses adversaires auront pour lui des paroles de mépris et ils le couvriront de honte ; ils rendront ta face (Lévi) haïssable ( ) et il sera entouré de tromperie et de violence ; le peuple errera en ses jours...

Le 4 Q Florilegium annonce qu'à la fin des jours de David, un oint viendra et rencontrera une opposition qui sera finalement vaincue [67]. Enfin, un manuscrit araméen de la grotte 4 (4 Q Mess ar), qui pourrait être une composition astrologique [68], présente des affinités avec Is 11, 1 et des traits qui ne sont pas sans

---

67. J. STARCKY, art. cité, p. 492.
68. 1, 10-13.18-19 ; 2, 1-3 (J. STARCKY, p. 500).

rappeler les chants du Serviteur souffrant. On peut conclure que, si les sages de Qumrân n'ont pas perçu les aspects les plus élevés du messianisme, celui du Serviteur souffrant ou celui du personnage céleste de Daniel, ils en ont retenu quelques échos : l'application d'Is 53 à la Communauté expiant pour les souillures du pays et du peuple et les divers fragments de la grotte 4.

CHAPITRE II

DANS LA LIGNE DES PROPHÈTES

Le contraste entre les débuts et la fin du ministère de Jésus est une donnée sûre de la tradition évangélique. Après l'emprisonnement du Baptiste, la prédication de Jésus souleva dans le peuple un enthousiasme tel que cette période a été souvent nommée « le printemps galiléen ». Aux envoyés de Machéronte, Jésus avait répondu : « la bonne nouvelle est annoncée aux pauvres. » Dans la bouche des prophètes, le « pauvre » a d'abord désigné le malheureux avant de s'étendre à la masse de tous ceux qui savaient qu'ils dépendaient complètement de l'aide de Dieu : les opprimés, les désemparés, ceux pour qui il n'y avait pas de salut. Il faut y ranger ceux qui exerçaient des professions mal famées : usuriers, percepteurs d'impôts, bergers, médecins... « Publicains et pécheurs », diront les évangiles. Le fardeau de ces marginaux était lourd. Ils étaient méprisés par les hommes et, selon la pensée du temps, n'avaient aucun recours auprès de Dieu. Le désir d'échapper au mépris religieux peut expliquer en partie le mouvement qui jeta les « pécheurs » aux pieds de Jésus. Le prophète de Galilée proclamait un salut universel et proposait son message à tous, y compris à ceux qui s'identifiaient à l'Israël véritable.

Il invita les « affamés de Dieu » à sa table, réalisant ainsi un authentique geste prophétique car, en Orient, la communauté de table est communauté de vie. En partageant son repas avec les « pécheurs », Jésus a clairement manifesté que le pardon de Dieu était pour eux aussi ; ces repas étaient autant d'annonces du banquet eschatologique. Prophétique aussi le cri de joie avec lequel Jésus accueillit ses disciples lui annonçant que les esprits mauvais avaient fui à leur commandement : « Je voyais Satan, expulsé du ciel, tomber comme l'éclair » (Lc 10, 18). Les exorcismes annonçaient la victoire finale sur le Mal et la Mort.

Mais les évangiles s'accordent aussi pour dire que la mission galiléenne fut placée de bonne heure sous le signe du combat. Ils nous rapportent divers incidents qui constituaient autant de profanations de la Loi. A plusieurs reprises, Jésus fut accusé de mépriser le sabbat [1]. Or, celui qui avait violé le sabbat était punissable de mort [2]. Jésus fut aussi accusé de s'adonner à la magie, délit qui encourait la lapidation [3]. Mc 14, 65 par. suggère qu'il fut considéré par d'aucuns comme un faux prophète, crime puni de mort par strangulation [4]. On lui a aussi reproché de prétendus blasphèmes [5] et c'est sur une accusation de blasphème qu'il fut condamné.

---

1. Mc 2, 23-28 ; 3, 1-6 et par. ; Lc 13, 10-17 ; 14-16. En Jn 5, 1-18 et 9, 1-41, le motif du sabbat est secondaire, mais les conflits amenés par la violation du sabbat doivent être comptés comme témoignages certains de la tradition.

2. Ex 31, 14-15 et Sanh. 7, 4.8 ; Mc 2, 23-28 et 3, 1-6 soulignent que Jésus avait été averti qu'il se rendait coupable et devenait de ce fait punissable, en cas de récidive.

3. Mc 3, 22-27 ; Lv 20, 27 confirmé par Sanh. 7, 4.

4. Sanh. 11, 1, si on admet qu'au temps de Jésus il est vraisemblable que, seul, le code pénal sadducéen était en vigueur. Les Sadducéens étaient majoritaires dans le Sanhédrin et fort attachés à la lettre de la loi mosaïque. Pour la discussion, voir J. Blinzler, *Le procès de Jésus*, Tours, 1962, p. 67.

5. Sanh. 7, 4 requiert la lapidation contre les blasphémateurs ; Sanh. 6, 4 ajoute l'exposition au gibet.

Fort du droit de Yahvé [6], Jésus avait dénoncé les abus commis dans le Temple, notamment par la famille du grand prêtre Anne. D'après les récits de la Passion, le principal chef d'accusation fut précisément le logion contre la Loi et le Temple [7]. La destruction des bâtiments cultuels, en effet, a compté dans toute l'antiquité parmi les délits les plus graves. Etant donné la place unique qu'occupait le Temple dans la vie religieuse des Juifs, il n'est pas surprenant que la simple menace contre ce Temple (Jn 2, 19) ait été considérée comme un crime qui méritait la mort. Jésus a donc risqué sa vie en maintes circonstances. S'il a cru à l'établissement du Règne de son vivant, sa liberté de pensée et d'expression devait finalement lui valoir une fin brutale [8].

---

6. Cf. Jr 7, 1-15 et 26, 1-19.

7. Ac 6, 14 pourrait bien être le témoin du logion dans la forme la plus primitive que nous puissions atteindre.

8. L'énoncé des peines encourues par Jésus montre clairement qu'il ne pouvait normalement s'attendre à la crucifixion ; tous les « crimes » qui lui étaient imputés étaient punis de la lapidation. Il faut se méfier par ailleurs de l'affirmation selon laquelle les Juifs du premier siècle étaient privés du *jus gladii*. Cela ne valait que pour les territoires soumis à la juridiction romaine, comme la Samarie et la Judée. En Galilée, rien n'empêchait Hérode-Antipas d'exécuter une sentence de mort, comme il l'a fait pour Jean-Baptiste ; Lc 13, 31 est donc à prendre très au sérieux. Dans les territoires gouvernés par Rome, il était toujours possible de provoquer des mouvements de foule, quitte à s'arranger avec l'autorité. Le procurateur ne venait d'ailleurs à Jérusalem que pour les fêtes de la Pâque et de la Pentecôte. Tout un concours de circonstances a ainsi conduit Jésus devant Ponce-Pilate et le reproche de sédition évoqué alors (Lc 23, 2) explique probablement la condamnation à la croix. En effet, parmi les crimes de haute trahison, on comptait le fait de « tourner les amis du peuple romain contre ce même peuple ». Ce crime était passible de la peine capitale. Pour les habitants des provinces, sans citoyenneté romaine, la crucifixion était habituelle (*in furcam tolluntur* : Dig. 48, 19, 38, 2).

§ 5. La parabole des vignerons homicides

Un débat divise les critiques depuis que A. Jülicher a magistralement renouvelé l'étude des paraboles à la fin du siècle dernier[9]. Faut-il considérer le récit des Vignerons comme une pure parabole ou s'agit-il d'un résumé allégorique de l'histoire du salut ? Si on conclut que Jésus n'a raconté que des paraboles, on doit faire remonter le récit des Vignerons homicides à la Communauté primitive qui l'aurait mis sur les lèvres de son Seigneur. Mais il apparaît aujourd'hui que la distinction introduite par le savant allemand est trop hellénistique. Un partage trop net entre les concepts de parabole et d'allégorie n'est pas palestinien. Le Sémite passe sans peine de l'un à l'autre et, dans le langage du judaïsme biblique et post-biblique, le *mâshâl* désigne des images de toutes sortes[10]. Aussi est-il préférable de dissocier les traits allégoriques proprement dits, qui sont le résultat d'une intention expresse de l'auteur, des traits « significatifs » qu'il a reçus de son milieu et qui constituent son mode d'expression normal[11].

En 1961, B.M.F. Van Iersel[12] a proposé une restitution convaincante de la parabole primitive. Tout

---

9. *Die Gleichnisreden Jesu. I. Die Gleichnisreden Jesu in Allgemein*, Tubingue, 1888 ; II. *Auslegung der Gleichnisreden der drei ersten Evangelien*, Tubingue, 1899.

10. A. George, art. « Parabole », DBS VI, 1960, col. 1149-1177.

11. Cf. X. Léon-Dufour, « La Parabole des Vignerons homicides », *Etudes d'Evangile*, Paris, 1965, pp. 313-314 ; J. Jeremias, *Les Paraboles de Jésus*, Le Puy-Lyon, 1962, p. 92.

12. « Die Gleichnis von den bösen Winzern (Mt., 21, 33-41 = Mk., 12, 1-9 = Lk., 20, 9-16) », *Der Sohn in den synoptischen Jesusworten*, Leyde, 1961. Voir aussi M. Hubaut, « La parabole des vignerons homicides : authenticité et visée première », RTL 1975, pp. 51-61.

d'abord, Jésus décrit, dans des termes empruntés au prophète Isaïe, le lieu de l'action : un vignoble que son propriétaire a défriché et qu'il loue à des métayers, avant de partir au loin. Lorsque la vigne a donné son fruit, il envoie des serviteurs pour en recueillir le produit, mais ceux-ci se font maltraiter par les vignerons. Troisième tableau : le fils du propriétaire est envoyé, mais il est assassiné et son corps laissé sur place. Que fera le Maître de la vigne devant l'ignoble conduite des fermiers ? Le récit se termine sur cette question, à laquelle les auditeurs sont invités à répondre.

Qui sont les auditeurs ? Les évangélistes désignent les membres du Sanhédrin (Mc 11, 27 ; Mt 21, 45 ; Lc 20, 19), mais ce renseignement serait-il absent que nous pourrions aujourd'hui encore supposer qu'ils sont des légistes. Jésus, qui s'adresse à des experts en la matière, témoigne d'une connaissance exacte du droit civil juif concernant les règles de propriété et de succession. La parabole fait appel à une double disposition légale. La première, appelée *mattenat bari'*, arrête les droits testamentaires entre ascendants et descendants et admet qu'un père peut hériter des biens de son fils, si celui-ci meurt sans postérité [13]. Après la mort du fils, le vignoble revient normalement au propriétaire. La seconde disposition, connue sous le nom de *kazaka*, reconnaît que la propriété indiscutée d'un immeuble ou l'usage d'un bien meuble peut constituer, en certains cas, un titre permettant d'en revendiquer la propriété légitime [14]. Tout héritage, qui n'est

---

13. BB. 8, 1.
14. Selon BB. 3, 1, la règle de la *kazaka* s'applique aux maisons, aux fruits, aux fossés, aux caves, aux colombiers, aux maisons de bain, aux pressoirs, aux champs irrigués, aux esclaves et à tout ce qui normalement produit des fruits.

L'occupation doit avoir duré trois années consécutives, sauf pour un champ qui ne demande pas d'irrigation. En fait, la durée de l'occupation pouvait être ramenée à dix-huit mois, soit les

pas pris en possession dans un laps de temps déterminé, peut être considéré comme bien vacant que chacun peut s'approprier et qui appartient, en fait, au premier occupant [15]. Le meurtre du fils pouvait nourrir l'espoir des vignerons d'entrer en possession de la vigne [16].

Qui sont les serviteurs envoyés par le maître ? Dans la Septante, le substantif *doulos* est revêtu d'un sens bien précis. Alors que *pais* désigne une relation naturelle, qu'on ne peut contester matériellement, *doulos* signifie plutôt « l'asservi », dans le sens où le service est reconnu comme inhabituel [17]. Dans le contexte du régime politique de l'ancien Proche-Orient, *doulos* traduisait la relation du sujet au roi [18] et celle, toute de dépendance et de service, dans laquelle l'homme se trouvait par rapport à Dieu. *Douleuein* est même le vocable habituel pour désigner le service de Yahvé ; les grands hommes de l'histoire d'Israël, qui ont répondu à l'appel de Dieu d'une manière exemplaire, sont honorés du titre de *douloi Theou* [19]. Les prophètes mettent

---

trois derniers mois de la première année, toute la deuxième année et le premier trimestre de la troisième. R. Aqiba se contentait de quatorze mois. Ce délai de trois ans était imposé par les difficultés de communications.

15. Sur tout ceci, lire E. BAMMEL, « Das Gleichnis von den bösen Winzern (Mk., XII, 1-12) und das jüdische Erbrecht », *La Revue Internationale des Droits de l'Antiquité*, 3e série, t. VI, 1959, pp. 11-17.

16. Il faut se garder cependant de trop presser l'argument juridique. Selon BB. 3, 3, la clause du droit à la propriété ne s'appliquait pas aux artisans, aux journaliers, aux associés et aux tuteurs, ce qui semble vouloir dire que le fait de travailler ou de gérer la propriété d'autrui n'entraînait aucun droit à la propriété. De plus, une *kazaka*, non accompagnée d'une revendication prouvant l'achat ou le reçu en donation, était irrecevable. Il semble donc que les prétentions des vignerons n'étaient pas légitimes en droit.

17. Par exemple, la servitude d'Israël en Egypte, appelée d'ailleurs « maison de servitude » *(oikos douleuein)*.

18. 1 S 18, 5.30 ; 19, 4 ; 2 S 14, 19-20 ; 1 R 12, 7 et 2 R 16, 7.

19. Moïse (Jos 14, 7), Josué (Jos 24, 29 et Jg 2, 8), Abraham (Ps 105, 42), David (Ps 89, 4).

fréquemment dans la bouche de Yahvé l'expression « mes serviteurs les prophètes » [20]. On parle des paroles que Yahvé a prescrites aux Pères et mandées par « la main » de ses serviteurs, les prophètes *(hosa apesteila autois en cheiri tôn doulôn mou tôn prophêtôn)* [21]. Une différence importante toutefois en ce qui concerne les Chants du Serviteur. La Septante ne traduit pas ici *'ebed* par *doulos,* comme elle le fait pour les autres serviteurs de Dieu, mais par *pais,* ce qui semblerait indiquer que l'auteur a voulu rendre la relation unique entre Yahvé et son Serviteur-élu. Les prophètes sont donc les serviteurs de Dieu, mandatés par lui pour délivrer son message.

Le verbe *apostellô,* qui traduit l'hébreu *shâlaḥ* et l'araméen *shelaḥ,* convient parfaitement à cette situation de « mandaté ». A la différence de son synonyme *pempô,* il implique toujours un mandat, lié à la personne de celui qui envoie. L'Ancien Testament contient un grand nombre de récits d'envoi de messagers mandatés pour dire ou accomplir telle chose. Le récit de la vocation de Gédéon est considéré comme un classique du genre [22]. L'ange de Yahvé apparaît au fils de Joas et le salue par ces mots : « Yahvé est avec toi, vaillant guerrier ! » Avec finesse, Gédéon réplique que si Yahvé protégeait effectivement son peuple, celui-ci ne serait pas opprimé par les Madianites. Reprenant la parole, Yahvé signifie sa mission à Gédéon en ajoutant que c'est lui-même Yahvé qui l'envoie. Gédéon objecte qu'il est d'origine trop basse pour réaliser un quelconque exploit, mais Yahvé l'encourage et confirme sa mission par un signe. Les récits de vocation de prophètes copient fidèlement ce modèle, l'envoi en mission recouvrant toute l'activité prophétique. A l'appel de

---

20. Am 3, 7 ; Jr 7, 25 ; 25, 4 ; 26, 5 ; 35, 15 ; 44, 4.
21. 2 R 17, 13.23 ; Ez 38, 17 ; Za 1, 6 ; Esd 9, 11 ; Dn 9, 6.10.
22. Jg 6, 11b-17.

Yahvé : « Qui *enverrai*-je et qui ira pour nous ? », Isaïe s'offre à être ce mandaté et reçoit un signe [23]. Jérémie est *envoyé* pour prophétiser (19, 14 ; 26, 12.15) et vaticine contre les faux prophètes, ceux que Dieu n'a pas *envoyés* (28, 15). Le bas-judaïsme connaît aussi l'emploi du verbe *apostellô ;* chez Josèphe, il sous-entend que l'envoi est ordonné par Dieu. Quant au Nouveau Testament, c'est dans le quatrième évangile qu'il se révèle le plus instructif. *Apostellô* et *pempô* semblent s'y confondre mais, en fait, Jean emploie *pempô* lorsqu'il s'agit simplement de noter la participation du Fils à l'œuvre du Père *(ho pempsas me)* et *apostellô,* lorsque Jésus veut donner à son œuvre la garantie divine [24]. Jésus s'est donc présenté comme un prophète authentique envoyé par Dieu. Dans la parabole des Vignerons homicides, il s'est dissimulé sous les traits du « fils ». La désignation est indirecte et spécialement discrète, car on n'a pas pu jusqu'ici montrer que l'expression « Fils de Dieu » ait été un titre messianique dans le judaïsme pré-chrétien de Palestine [25].

Reste un verbe important : *apokteinô.* La littérature juive, canonique ou non, est émaillée de récits de persécutions et d'assassinats de prophètes. L'hébreu utilise

---

23. Is 6, 1-3. Aussi Jr 1, 4-10 ; 7, 25 ; Ez 2 ; Ag 1, 12 et Ml 3, 1.23. Dans le Nouveau Testament, les vocations de Zacharie (Lc 1, 11-20) et de Marie (Lc 1, 26-38) ; l'appel d'Ananie (Ac 9, 10-16) et la vocation de l'Eglise à l'universalisme (Ac 10, 11-17).

24. Cf. H. RENGSTORF, articles « *doulos* », ThW II, pp. 264-283 et *apostellô*, ThW I, pp. 397-448.

25. J. JEREMIAS, *op. cit.,* p. 140 demande de distinguer entre la pensée de Jésus et ce qu'ont compris ses auditeurs. Par ailleurs, il nous semble que VAN IERSEL, *op. cit.,* pp. 124-125 ne souligne pas assez la présence du possessif « mon/son fils » qui crée une légère différence entre la parabole des Vignerons et d'autres textes, comme « l'hymne de jubilation » (Mt 11, 25-27 = Lc 10, 21-22) et le logion du Jour caché au Fils (Mc 13, 32 = Mt 24, 36). Cf. J. JEREMIAS, *Abba. Jésus et son Père,* Paris, 1972, pp. 38.52-53.

le verbe *hârag* qui signifie « tuer, massacrer » et se rencontre fréquemment dans l'expression « Yahvé tue [26] », ou encore le hiphil de *mût (hêmit)* qui rend le causatif « Yahvé fait mourir [27] ». Les deux verbes traduisent aussi le meurtre, la tentative d'assassinat, les menaces de mort. Enfin, ils sont largement utilisés pour décrire les assassinats des justes et des prophètes. Ils sont traduits en grec par *apokteinô,* plus rarement par *anaireô.* L'assassinat d'Abel par son frère Caïn constitue le paradigme de tous ces meurtres. On lit en Gn 4, 8 :

> Caïn dit à Abel son frère :
> Allons aux champs !
> Et comme ils étaient aux champs,
> Caïn se leva contre son frère Abel
> et le tua *(wayyahargêhû ; kai apekteinen auton)* [28].

Le témoin le plus suggestif se trouve dans un pseudé-pigraphe grec d'Ancien Testament appelé *Vitae Prophetarum,* à l'origine duquel on suppose, à cause des nombreux sémitismes qu'il contient, un texte juif

---

26. Ex 4, 22-23 :
> Ainsi a parlé Yahvé :
> Mon fils premier-né est Israël et je t'ai dit :
> Renvoie mon fils pour qu'il me serve !
> Mais tu as refusé de le renvoyer,
> voici que moi, je vais tuer *(hôreg)* ton fils premier-né.
Cf. encore Ex 13, 15 ; 32, 12 ; Nb 11, 15 ; 22, 33 ; Ps 78, 31.34 ; 135, 10 ; 136, 18 ; Lm 2, 4.21 ; 3, 43 ; Am 2, 3 ; 4, 10 ; 9, 1.4.
27. Gn 18, 25 ; Ex 4, 24 ; Dt 32, 39.
28. Gn 37, 20 rapporte le complot ourdi contre Joseph en des termes très proches de ceux de la parabole des Vignerons (Mc 12, 7) : « Et maintenant, allons ! Tuons-le... *(wenargêhû ; apokteinô-men).* Cf. Gn 27, 42 ; 1 S 16, 2 ; 1 R 18, 13 ; 19, 1.10.14 ; Jr 26, 15 ; 38, 16.25 ; Ne 9, 26. Dans le N.T., nous trouvons le verbe *apokteinô* dans les annonces de la Passion (Mc 8, 31 ; 9, 31 ; 10, 34 et par.), dans l'introduction au récit de la Passion (Mc 14, 1 = Mt 26, 4) et dans le contexte de la passion du juste (1 Th 2, 15 ; Ac 3, 14.15 ; 7, 52 ; et He 11, 36-38).

composé à la fin du premier ou au début du IIe siècle
chrétien [29]. Guide de pèlerinage aux tombeaux des prophètes, les *Vitae* contiennent les biographies de vingt-
trois prophètes. Six d'entre eux sont morts de mort
violente ; ce sont :

— Amos, abattu par le fils du prêtre Amasiah :

Finalement, son fils le tua *(aneilen)* avec une massue.

— Michée, précipité du haut d'un rocher :

Ayant fait beaucoup de choses contre Achab, il fut
précipité du haut d'un rocher *(anêirêthê krêmnôi)* par
Joram, le fils du roi, parce qu'il avait repris son père
sur ses impiétés.

— Isaïe, scié en deux :

Isaïe de Jérusalem mourut *(thnêskei)*, scié en deux
par Manassé.

— Jérémie, lapidé en Egypte :

Il mourut *(apothnêskei)* sous les pierres jetées par
le peuple.

— Ezéchiel, tué à Babylone :

Alors le chef du peuple le tua *(apekteine de auton ho
hêgoumenos tou laou)*.

— Zacharie, frappé par le roi Joas dans le Temple
de Jérusalem :

Zacharie de Jérusalem, le fils de Yoyada le prêtre,
que Joas, le roi de Juda, tua *(apekteinen)* près de l'autel.

---

29. Texte dans C.C. TORREY, « The Lives of the Prophets.
Greek Texte and Translation », JBL, Monograph Series I, Phi-
ladelphie, 1946. Pour la date, voir H.-J. SCHOEPS, « Die jüdische
Prophetenmorde », *Ausfrühchristlichen Zeit, Religionsgeschichtliche Untersuchungen*, Tubingue, 1950, pp. 131-132, note 8.

Des textes évoqués, nous retenons les particularités suivantes. Le verbe *apokteinô* est généralement employé pour désigner la mort violente ; l'emploi d'*anaireô* est plus rare. Les propositions sont généralement à l'actif avec mention de l'auteur du meurtre : « un tel tua tel prophète ». Le verbe *apothnêskô* est préféré, lorsqu'il s'agit de mort naturelle ; s'il traduit la mort violente, comme dans deux exemples des *Vitae,* la phrase prend une allure passive. Cette constatation vaut également pour la parabole des Vignerons homicides ; il y est dit des vignerons qu'ils tuent les serviteurs et le fils [30]. Ainsi, sous les traits du fils, Jésus s'est désigné comme le dernier des prophètes. Discrètement, il a révélé aux membres du Sanhédrin qu'il avait pénétré leur dessein de le faire mourir. On peut affirmer que Jésus voyait dans le martyre la fin habituelle et, en un sens, normale du ministère prophétique.

La parabole dit encore qu'après avoir tué le fils, les fermiers laissèrent son corps sur place. L'ont-ils d'abord tué pour le jeter ensuite hors de la vigne, comme le raconte Mc 12, 8, ou l'ont-ils jeté dehors avant de le tuer, comme le prétendent les versions parallèles de Mt et de Lc ? Marc est-il primitif ou a-t-il modifié l'ordre des événements ? X. Léon-Dufour [31] préfère la version de Mt/Lc qui reproduirait le cérémonial du supplice des blasphémateurs (Lv 24, 14). L'idée de blasphème est tout à fait étrangère au récit parabolique. De plus, le meurtre projeté par les vignerons ne rencontre aucune procédure légale. Les versions de Lc et de Mt ont été influencées par les récits de la Passion.

Pour l'homme de la Bible, l'absence de sépulture, c'est-à-dire l'abandon du cadavre aux oiseaux et aux bêtes des champs, constitue la pire des malédictions.

---

30. Mc 12, 5.7.8 ; aussi Lc 13, 31 : « *Heróidês thelei se apokteinai* ».
31. *Op. cit.,* p. 323.

On comprend dès lors la dureté d'un oracle comme celui qui fut prononcé sur la Maison de Jéroboam par le prophète Akhiyahû :

> Celui de la Maison de Jéroboam qui mourra dans la ville,
> les chiens le mangeront,
> et celui qui mourra dans la campagne,
> les oiseaux des cieux le mangeront,
> car Yahvé l'a prédit (1 R 14, 11).

De nouveau, le récit du meurtre d'Abel nous indique à quelle profondeur de l'âme primitive touche le désir d'une sépulture décente. Après son crime, Caïn est interpellé par Dieu :

> Qu'as-tu fait ?
> La voix du sang de ton frère crie du sol jusqu'à moi.
> Maintenant donc maudit sois-tu par le sol
> qui a ouvert sa bouche pour prendre de ta main le sang de ton frère (Gn 4, 10-11).

C'est le principe même de la vie qui est en jeu. Parce qu'il est le siège du principe vital, le sang appartient à Dieu et il est interdit de s'en nourrir[32]. Répandu, il doit toujours être recouvert de terre de façon à être absorbé[33], sinon la terre souillée, surtout par le sang innocent, crie vengeance au ciel[34]. Répandre le sang sur la roche nue est donc un grand péché, si grand, dit un oracle d'Ezéchiel, qu'il ne peut être vengé que par la mort des « meilleurs » du peuple[35]. L'affirmation du prophète a été actualisée par maintes légendes rabbiniques, à la suite du meurtre du prophète Zacha-

---

32. Gn 9, 4.
33. Lv 17, 13.
34. Gn 4, 10.
35. 24, 7-8.

rie [36]. L'une d'elles prétend que le sang de la victime se met à « bouillonner » jusqu'à ce que le crime soit expié par la mort de l'assassin :

Il arriva qu'un homme tua son frère.
Que fit leur mère ?
Elle prit un bassin, le remplit avec le sang et le déposa dans un garde-manger. Chaque jour, elle s'y rendait et trouvait le sang en train de bouillonner. Un jour qu'elle y allait, elle vit que le mouvement du sang s'était arrêté. Elle sut alors que son autre fils avait été tué (Midrash Rabba Deutéronome 2, 198d).

C'est ce qui est arrivé, toujours d'après la légende, après la lapidation du prophète Zacharie dans la cour du Temple. Son sang répandu sur la pierre ne put être absorbé par la poussière du sol et se mit en mouvement. Il ne s'arrêta qu'après l'exécution de 80 000 jeunes prêtres et le pardon de Yahvé [37]. Un texte haggadique (Josippon 80) signale que le corps du prophète fut laissé sans sépulture et que la terre ne recouvrit pas son sang, ce qui nous rapproche de la parabole des Vignerons homicides.

---

36. 2 Ch 24, 20-22.
37. P. Ta'anit 4, 69a :
Le jour du meurtre de Zacharie, les Israélites ont commis sept infractions. Ils ont tué un prêtre, un prophète et un juge. Ils ont répandu le sang innocent. Ils ont souillé le parvis et, en outre, cela se passa un jour de sabbat et de Grand Pardon. Lorsque Nebûzaradan (le chef des gardes de Nabuchodonosor) monta au Temple, il vit comment le sang bouillonnait. Il dit : Que se passe-t-il ? On lui répondit : C'est le sang des brebis, des agneaux et des béliers que nous avons apporté en offrande sur l'autel.
Immédiatement, Nebûzaradan fit apporter et abattre les brebis, les agneaux et les béliers, mais le sang continuait à bouillonner.
Comme ils ne lui avaient pas avoué leur crime, il les fit pendre sur le lieu des supplices.
Ils dirent alors : Il plaît au Seigneur de réclamer son sang de nos propres mains !
Et à Nebûzaradan : C'est le sang d'un prêtre, d'un prophète

Les thèmes du juste persécuté et du sang qui crie vengeance au ciel parcourent d'un bout à l'autre la littérature apocryphe. Le Livre d'Hénoch, dans les passages qui décrivent l'histoire d'Israël, sous une forme très imagée, est particulièrement riche. Les chapitres 85 à 90, appelés « Vision des animaux », racontent un songe d'Hénoch qui donne un tableau complet de l'histoire du monde, depuis Adam jusqu'au jugement dernier et l'établissement du Royaume messianique [38]. Le meurtre d'Abel se lit au ch. 85 sous une forme très allégorique :

> Avant de prendre ta mère Ednâ, je vis une vision sur ma couche. Voici : un taureau sortait de la terre et ce taureau était blanc (Adam). Après lui, sortit une génisse (Eve) et avec elle deux veaux, dont l'un était noir (Caïn) et l'autre rouge (Abel). Or, le veau noir frappa le veau rouge et le poursuivit sur la terre et, dès lors, je ne pus voir ce veau rouge (85, 3-4).

Les persécutions de prophètes remplissent les ch. 89 et 90 :

> Puis je vis ces brebis errer de nouveau, aller dans une multitude de voies et abandonner leur maison. Le Seigneur des esprits appela au milieu d'elles des

---

et d'un juge, qui nous a prédit tout ce que tu nous as fait ; nous nous sommes soulevés contre lui et nous l'avons tué.

Il fit alors immédiatement arrêter 80 000 jeunes prêtres et les fit immoler, mais le sang continuait à bouillonner. Alors il s'arrêta et dit au Seigneur : Veux-tu que tout ton peuple soit décimé à cause de toi ? Le Seigneur fut pris de compassion et se dit : Si cet homme, qui est chair et sang, a pitié de mes fils, cela vaut bien plus encore pour moi.

Alors, il fit signe au sang qui fut absorbé sur place.

Cf. la tradition babylonienne : b. Giṭṭin 57b, BILLERBECK I, pp. 941-942.

38. La date de composition est à fixer soit entre 125 et 100, soit entre 100 et 75 avant J.-C.

brebis et les envoya auprès des brebis ; mais les brebis se mirent à les tuer.

Le premier groupe de brebis représenterait les tribus du Nord qui abandonnèrent le Temple de Jérusalem après le schisme politique. Du milieu d'elles, Dieu suscita d'autres brebis, c'est-à-dire les prophètes, qui furent massacrés [39]. L'une d'entre elles, le prophète Elie, échappa au massacre [40].

Différents passages montrent la persistance du thème du sang répandu parmi les différents auteurs du recueil. Nous le trouvons d'abord dans une angélologie dont la rédaction remonterait à une période comprise entre 164 et 150 avant J.-C. :

Alors Michel, Uriel, Raphaël et Gabriel regardèrent du haut du ciel et ils virent le sang répandu en abondance sur la terre et toute l'injustice commise sur la terre. Et ils se dirent, l'un à l'autre : C'est la voix de leur cri que la terre désolée crie jusqu'aux portes du ciel. Maintenant, c'est à vous, saints du ciel, que les justes se plaignent et les âmes des hommes, elles disent : Portez notre cause devant le Très-Haut (9, 1-3).

Abel réapparaît au ch. 22 qui appartient à un ensemble de récits astrologiques et cosmologiques datés des environs de 150 avant J.-C. [41].

Je vis l'esprit des enfants des hommes qui étaient morts, leur voix arrivait jusqu'au ciel et se plaignait. Alors j'interrogeai Raphaël, l'ange qui était avec moi, et je lui dis : De qui est-il cet esprit dont la voix arrive ainsi jusqu'au ciel et se plaint ?

---

39. Allusion probable aux massacres de Jézabel.
40. 89, 51-53.
41. Ces récits seraient un résumé du livre astrologique découvert dans la quatrième grotte de Qumrân.

Il me répondit en ces termes : Cet esprit est celui qui est sorti d'Abel que son frère Caïn a tué, et il l'accuse jusqu'à ce que sa race soit anéantie sur la face de la terre et que sa face disparaisse de la race des hommes (22, 5-7).

Enfin, l'importante section du Livre des Paraboles livre un dernier texte qui ferait allusion à la persécution séleucide :

Et dans ces jours, la prière des justes et le sang du juste monteront de la terre devant le Seigneur des esprits. En ce jour, les saints (anges) qui habitent au haut des cieux s'uniront en une seule voix, et ils supplieront, prieront, glorifieront et béniront le nom du Seigneur des esprits, au sujet du sang des justes qui a été versé, et de la prière des justes afin qu'elle ne soit pas vaine devant le Seigneur des esprits, mais que justice leur soit faite, et que leur attente ne soit pas éternelle... Et le cœur des saints fut rempli de joie, parce que le nombre de la justice est proche (du terme fixé), la prière des justes a été exaucée, et le sang du juste a été vengé devant le Seigneur des esprits (47, 1.2.4).

Meurtre d'Abel et assassinats de prophètes se retrouvent dans le Livre des Jubilés, targum haggadique de la Genèse et de l'Exode canoniques, écrit à la gloire de la Loi [42]. Dès le premier chapitre, nous trouvons une allusion à l'envoi des prophètes que le peuple n'écoute pas et persécute, tandis que le ch. 4 reprend le thème du sang qui crie vengeance au ciel :

---

42. On en a retrouvé des fragments à Qumrân, ce qui laisse penser que l'ouvrage a été écrit en hébreu. Selon E. SCHÜRER, *Geschichte des jüdischen Volkes im Zeitalter Jesu Christi* [4], III, Leipzig, 1909, p. 375, l'auteur serait un Pharisien en marge de son parti. O. EISSFELDT, *Einleitung in das Alte Testament* [3], Tubingue, 1964, pp. 823-824 date l'ouvrage des années 100 av. J.-C. et y voit, avec nombre d'autres, un partisan de la doctrine qumranienne.

Dans la troisième semaine du second jubilé, Eve donna naissance à Caïn, dans la quatrième, à Abel, et dans la cinquième à Awân. Dans la première année du troisième jubilé, Caïn tua Abel, parce que Dieu agréait les sacrifices d'Abel, mais pas les siens. Il le tua aux champs et son sang criait du sol jusqu'au ciel, se plaignant parce qu'il l'avait tué (4, 1-7).

Le récit des funérailles d'Abel, décrites au ch. 40 de la « Vie d'Adam et Eve », clôture la liste des pseudépigraphes traversés par le thème du sang répandu [43] :

Dieu dit à l'archange Michel :
Que le corps d'Abel soit aussi apporté.
Ils apportèrent d'autres vêtements de lin
et préparèrent aussi son corps.
Car il était resté sans sépulture,
depuis le jour où son frère Caïn l'avait tué.
En effet, Caïn s'était donné beaucoup de mal pour le cacher,
mais sans résultat, car la terre ne voulait pas le recevoir,
à cause du sang répandu sur elle.
Une voix sortait de terre et disait :
Je ne recevrai pas un corps,
jusqu'à ce que la terre qui a été prélevée et façonnée en moi, ne vienne à moi.
Alors les anges prirent (le cadavre) et le placèrent sur un rocher, jusqu'à ce que son père Adam fût enterré (40, 3-5).

Au temps de Jésus, l'ensevelissement des morts était encore considéré comme une œuvre pie. Les confréries pharisiennes attachaient une grande importance à l'observance des rites funéraires, comme l'atteste un écrit rabbinique :

---

43. Midrash haggadique de Gn 1-4, à dater du 1er ou du début du IIe siècle chrétien. Cf. A.-M. DENIS, *Introduction aux pseudépigraphes grecs de l'Ancien Testament*, Leyde, 1970, pp. 3-7.

R. Eleazar b. Sadoq enseignait (vers 100 après J.-C.) :
Voici la coutume des *habûrôt* à Jérusalem :
les uns allaient à un repas de fiançailles,
les autres à un repas de noces ;
d'autres à une fête de circoncision,
d'autres enfin au rassemblement des ossements (en vue
de la sépulture définitive) ;
les uns à un repas joyeux, les autres à un mortuaire
(Tos. Meg. 4, 15 (226, 13) [44].

En abandonnant le cadavre du fils, les assassins de
la parabole s'étaient rendus coupables d'un crime sup-
plémentaire. En laissant entendre aux Sanhédrites qu'il
connaissait leurs projets, Jésus donnait la preuve de
sa lucidité. Lui, dont la péricope de l'onction de Béthanie révèle le souci d'une sépulture décente [45], n'aura
finalement droit qu'à une tombe de criminel.

§ 6. ISRAEL ET LES PROPHÈTES

Que le martyre fît partie de la fonction prophétique,
Jésus s'est prononcé là-dessus dans divers logia qui se
lisent, pour la plupart, au ch. 11 de Luc (= Mt 23).
Il semble que Luc ait copié assez fidèlement [46] la source
des logia, en l'insérant dans le cadre narratif d'un dîner
chez un Pharisien. La source de Matthieu lui serait

---

44. Cf. Mek. Ex. sur 18, 20 (67b). Dans la Bible canonique :
Tb 1, 17-19 ; 6, 15 ; 14, 9.11-13 ; 2 S 21, 13-14 ; 2 M 12, 39.43-46 ;
Ac 5, 6.

45. Cf. pp. 146 ss.

46. Cf. T.W. MANSON, *The Sayings of Jesus* [2], Londres, 1949,
p. 96. Toutefois on peut indiquer deux exceptions à l'homogénéité
de la source lucanienne (3 malédictions contre les Pharisiens + 3
malédictions contre les scribes) : Lc 11, 43 et 49-51. Cf. *Synopse* II,
§ 288, 1, 3.

propre et aurait rencontré les matériaux fournis par la
source L.

1. Le fragment sur « le sang des prophètes répandu
   depuis la fondation du monde » (Lc 11, 49-51 et
   par.)

Le texte de Luc, plus primitif, reproduit la source L,
où il était déjà rattaché aux vv. 47 et 48 [47]. Nous proposons la restitution que voici :

C'est pourquoi Dieu a dit, dans sa Sagesse :
Je leur enverrai des prophètes et des apôtres
et ils en tueront
afin qu'il soit demandé compte à cette génération
de tout le sang juste répandu sur la terre,
depuis la fondation du monde.
Oui, je vous le dis, il en sera demandé compte à cette
génération.

Archaïque, la formule *hê sophia tou Theou* doit
être comprise à la lumière de passages similaires [48] ;

---

47. T.W. Manson, *op. cit.*, p. 102.
48. Mc 7, 10 ; 12, 36 ; Jn 1, 23. Le TgLm 2, 20 fournit un
excellent parallèle :
    Vois, Yahvé, et considère !
Qui as-tu traité de la sorte ?
Est-ce que des femmes doivent manger leur fruit,
ces enfançons encore sur les bras ?
Est-ce qu'on doit tuer le prêtre et le prophète dans le
sanctuaire d'Adonaï ?
La Justice de Dieu répondit : (Dieu, dans sa Justice...)
Il était décidé de tuer dans le Saint de Yahvé un prêtre et
un prophète,
comme vous avez tué Zacharie, le fils du grand prêtre Iddo,
et des prophètes authentiques, lors d'un jour de Grand
Pardon, parce qu'ils vous avaient punis,
en constatant que vous ne vous étiez convertis en rien devant
Yahvé.

elle constitue un *hapax* lucanien et reflète la tendance juive à personnifier les attributs divins. Le reste du vocabulaire évoque l'assassinat des prophètes par Israël. *Apostolos* désigne celui qui est mandaté et est synonyme de « prophète »[49], tandis qu'*apokteinô* appartient au vocabulaire de la passion des justes. L'expression matthéenne du « sang juste répandu sur la terre » s'inscrit dans le contexte du sort réservé aux envoyés de Dieu[50]. La conséquence des meurtres d'Israël est introduite, chez Luc, par la phrase « afin qu'il soit demandé compte du sang » qui traduit l'hébreu *dâm biqqêsh* et doit être considérée à la fois comme un septuagintisme et un *hapax* néo-testamentaire[51]. Enfin, *apo katabolês kosmou* fait peut-être allusion aux conceptions juives selon lesquelles le jugement final se déroulera, lorsque les hommes auront mis le comble à la mesure de leurs péchés[52].

Juste par excellence, Jésus s'est inséré dans la longue

---

49. Son emploi permet à Lc d'éviter la répétition du substantif verbal *apestalmenos* après le verbe *apostellein* conjugué à un mode personnel. La triade matthéenne « prophètes, sages et scribes » est secondaire. Le judaïsme rabbinique aurait placé les scribes avant les sages, car la Mishna considérait les scribes comme les autorités du passé (Esdras) et les sages comme les autorités religieuses contemporaines.

50. *Pan haima dikaion* traduit l'hébreu *dâm nâgî*.

51. Cf. Gn 9, 5 ; 42, 22 ; 2 S 4, 11 ; Ez 3, 18-20 ; Jl 4, 21 ; aussi Ap 6, 10 et une prière juive, datée du IIe siècle av. J.-C. et reproduite dans A. DEISSMAN, *Licht vom Osten*, Tubingue, 1923, p. 352.

Au passif de Mt, on notera qu'il décrit la persécution des envoyés divins avec des détails qui reflètent les persécutions et les tracasseries dont la Communauté primitive fut l'objet. *Stauroô* est employé dans le vocabulaire du kérygme et des récits de la Passion ; *mastigô* appartient au vocabulaire de la persécution des disciples (10, 17) et se retrouve dans le récit johannique de la Passion (19, 1). Enfin, *kai diôxete apo poleôs eis polin* reflète l'idée de Mt 10, 23.

52. Cf. ʽArakin 15a : R. Hamnuna a dit : Dieu ne châtie pas l'homme avant que sa mesure ne soit comble. Lorsqu'est remplie sa multitude (de péchés), alors la nécessité vient sur lui.

liste des envoyés de Dieu (depuis Abel, le juste, jusqu'à Zacharie, le dernier prophète de l'Ancien Testament). Leur destin sera le sien. Mais qu'on y prenne garde : la mesure des péchés d'Israël pourrait alors être à son comble et le temps du « répit », passé !

2. LES BÂTISSEURS DE SÉPULCRES (Lc 11, 47-48 et par.)

En ce qui concerne l'analyse littéraire de ces deux versets, qui appartiennent au groupe des malédictions adressées aux docteurs de la Loi, il faut attirer l'attention sur la présence, dans la version lucanienne, d'un double parallélisme antithétique structuré en chiasme :

v. 47 — A Malheur à vous, scribes,
            parce que *vous bâtissez* les tombeaux
            des prophètes,
         B mais *vos pères les ont tués.*
v. 48 —   C Donc, vous êtes témoins et vous
               approuvez les œuvres de vos pères,
         B' parce qu'*ils les ont tués,*
      A'   et vous, *vous bâtissez.*

Le membre C du v. 48 constitue la conclusion logique du raisonnement. Vos pères ont tué les prophètes et vous, vous leur bâtissez des tombeaux. Vous confirmez donc les crimes de vos pères. Toutefois, sa formulation est secondaire par rapport au texte parallèle de Mt, qu'il faut préférer [53]. Quant aux différences observées entre le membre A' de Lc 11, 48 *(humeis de oikodomeite)* et Mt 23, 31b *(hoti huioi este tôn phoneusantôn tous prophêtas),* elles ne sont qu'apparentes. Elles

---

53. *Suneudokein* est propre à Lc et à Paul ; *martus* se trouve 13 fois en Ac. La formule *martureite heautois* de Mt est fréquente en araméen.

résultent d'un jeu de mots araméen, probablement présent dans la source commune à Mt et à Lc. En effet, le verbe *oikodomeite* se dit en hébreu *bânayin*, tandis que le substantif *huioi* est rendu par *benê*, pluriel de *bar*. La littérature rabbinique fournit des exemples d'autant plus intéressants que le vocable « bâtisseurs » y désigne parfois les légistes. On peut lire, par exemple, dans le traité Berakôt (64a) :

> R. Eléazar a dit au nom de R. Ḥanina :
> Les scribes sont facteurs de paix dans le monde.
> En effet, on lit en Is 54, 13 :
> Tous tes « bâtisseurs » (T. H. : tous tes fils) seront disciples de Yahvé et grande sera la paix de tes « bâtisseurs ».
> Il ne faut pas lire *bânayik* (tes fils), mais *bonayik* (tes bâtisseurs) [54].

Nous proposons la lecture suivante qui restitue vraisemblablement la source L, mêlée de quelques éléments lucaniens :

> Malheur à vous, scribes,
> parce que vous bâtissez les tombeaux des prophètes,
>   mais vos pères les ont tués.
>   De sorte que vous témoignez contre vous-mêmes,
>   parce qu'ils les ont tués,
>   et vous, vous bâtissez [55].

Les paroles de Jésus s'inscrivent sans peine dans le contexte historique. Son époque connaissait la « grande

---

54. Encore Midrash du Ct 1, 5 (87b) ; p. Yoma 3, 4ac, 26 ; Rashi sur Michée 5, 1.

55. *Taphos* est propre à Mt, de même que *phoneuein*. Le substantif *dikaios* a pu être amené par Mt 23, 35. Enfin, si l'on distingue les malédictions adressées aux Pharisiens (vv. 42-44 de Lc) de celles dirigées contre les scribes (vv. 47-51.52), l'expression *Pharisaioi hypocritai* doit être considérée comme secondaire.

renaissance » des tombeaux [56]. Hérode le Grand (37-4 avant J.-C.) en avait donné le coup d'envoi en ordonnant la construction d'un monument expiatoire au-dessus de la tombe du roi David, profanée lors des combats pour la prise du pouvoir. Les Juifs considéraient de plus en plus les prophètes commes des martyrs et leur élevaient des tombeaux, comme celui d'Isaïe près de la fontaine de Siloé. Avaient-ils oublié, les scribes-bâtisseurs, que les prophètes étaient morts de la main de leurs pères, alors même que Jean-Baptiste venait d'être exécuté par les soins d'Hérode-Antipas ?

3. Le présent : Jean-Baptiste (Mc 9, 13 = Mt 17, 12)

Sous sa forme actuelle, le récit de Mc reflète un dialogue entre Jésus et ses disciples. Ceux-ci ont demandé pourquoi les scribes répétaient qu'Elie devait d'abord venir, affirmation basée sur Ml 3, 22-23 (v. 11). Jésus a répondu en appuyant la théorie des légistes (v. 12a) et en précisant qu'avec Jean-Baptiste, les temps nouveaux avaient commencé (v. 13). Dans la personne de Jean, « Elie est déjà venu et les hommes lui ont fait tout ce qu'ils voulaient » ; Jean a connu le destin douloureux des prophètes [57]. On est ramené de nouveau à l'idée que la fin habituelle du prophète est le martyre. Au demeurant, l'interprétation de la fin du Baptiste à la lumière de cet axiome est significative à un autre point de vue : elle annonce l'appréciation parallèle que Jésus ne manquera pas de porter sur sa propre mort. Reste le v. 12b. M.-E. Boismard le considère comme

56. J. Jeremias, *Heiligengräber im Jesu Umwelt*, Gœttingue, 1958.

57. L'originalité du passage provient alors du fait que la littérature de l'époque ne parle pas d'un rejet de l'Elie *redivivus*. Voir *Hén. éth.* 89, 52 et 90, 31.

l'insertion secondaire d'une annonce archaïque de la Passion [58], annonce qui a de bons équivalents en Mc 8, 31 et Lc 17, 25. Les verbes *exouthenêsthai* et *apodokimasthênai* renvoient au Ps 118, 22. Le verbe *paschein* n'a pas de répondant araméen et se serait introduit dans le kérygme apostolique à la faveur de la similitude des termes grecs *pascha - paschein,* lorsque la Passion du Christ fut assimilée à l'immolation de l'agneau pascal [59]. Comme cette paronomase n'a de sens qu'en grec, on peut attribuer une origine hellénistique aux annonces du type *paschein.*

4. Jérusalem, la ville qui tue les prophètes (Mt 23, 37-39 et par.)

Le premier verset identifie remarquablement « prophètes » et « envoyés de Dieu ». La clause de la lapidation situe le fragment dans la sphère palestinienne [60]. C.F. Burney a naguère proposé une reconstitution du passage dans la forme poétique de la *qina* qui sert spécialement pour des énoncés traduisant une intense émotion intérieure [61] :

---

58. *Synopse* II, § 170, III.

59. 1 Co 5, 7b. Outre Boismard, cf. G. Dalman, *Jesu-Jeshua,* Leipzig, 1922, pp. 117-118 et P. Benoit, « Le récit de la Cène dans Lc., XXII, 15-20. Etude de critique textuelle et littéraire », *Exégèse et théologie* I, Paris, 1961, p. 189.

60. Les participes présents *apokteinousa* et *lithobolousa* expriment une action continuelle et actuelle ; les violences de Jérusalem contre les envoyés de Dieu ne sont ni récentes ni accidentelles.

61. *The Poetry of our Lord. An Examination of the Formal Elements of Hebrew Poetry in the Discourses of Jesus-Christ,* Oxford, 1925, p. 146. Le mètre quinaire comprend 3 + 2 accents et remonte à la lamentation pour les morts. La pleureuse, qui conduisait le chant funèbre, jetait une longue plainte (rythme à 3 accents), à laquelle les autres pleureuses répondaient par un écho plus bref (2 accents).

Jérusalem, Jérusalem, qui tues les prophètes
et lapides ses messagers,
combien de fois j'ai voulu
rassembler tes enfants,
comme une poule rassemble ses poussins
sous ses ailes :
et vous n'avez pas voulu.
Voici qu'est laissée
de votre maison une désolation [62].

Jérusalem est-elle fatale aux messagers divins ? L'affirmation s'était vérifiée pour Ouriyahû, tué par les gardes du roi Joachim (Jr 26, 23), et pour Zacharie, mais il est vraisemblable que la capitale désigne ici l'ensemble du pays.

5. « IL NE CONVIENT PAS QU'UN PROPHÈTE PÉRISSE HORS DE JÉRUSALEM » (Lc 13, 33)

Le verset appartient au contexte plus large de Lc 13, 31-33 et reflète une tradition propre à Luc. Il soulève des problèmes intéressants de critique littéraire au niveau des clauses temporelles. La première est la formule *en autêi têi hôrai* (v. 31), un aramaïsme qui se traduit par « alors, immédiatement, sur le champ » [63]. Les autres se lisent en 32b-33 :

Voici : je chasse des démons et j'accomplis des guérisons
aujourd'hui et demain *(sêmeron kai aurion),*
et le troisième jour *(têi tritêi),* je suis consommé.
Cependant, il faut qu'aujourd'hui et demain *(sêmeron kai aurion),*

---

62. Le reste du passage ne rentre pas dans le schème rythmique.
63. Araméen *bah beshâ'ata ;* cf. Dn 3, 6.15 ; 4, 30 ; 5, 5.

et le jour suivant *(têi echomenêi)*
je parte,
car il ne convient pas qu'un prophète périsse hors de
Jérusalem.

On a voulu éclairer la formule « aujourd'hui et
demain » par un passage du prophète Osée (6, 2) :

Il nous fera revivre après deux jours ;
le troisième jour, il nous ressuscitera [64].

Toutefois, il convient de remarquer que Jésus n'a pas
dit « après deux jours », mais « aujourd'hui et demain »,
locution qui se dit en araméen *yoma den weyomaḥia*
et signifie « jour après jour ». Quant à la clause du
« troisième jour », elle s'explique par le fait que les
langues sémitiques n'ont pas d'équivalent pour traduire
des expressions comme « plusieurs ; quelques-uns » et
tournent la difficulté en disant simplement « trois » [65].
Ainsi, traduit-on « pendant un certain temps » par « en
trois jours », en utilisant l'état construit *sheloshét
yâmîm* [66] ou l'état absolu *sheloshâh yâmîm* [67]. Pour les
mêmes raisons, la donnée chronologique du « troisième jour » *(bayyôm hashelishî)* a fréquemment le
sens de « sous peu, bientôt, d'un jour à l'autre. » Toutes
ces expressions désignent un laps de temps de durée
variable, mais limitée.

Une autre difficulté provient de la relation du v. 33
au v. 32b. Faut-il, comme le suggère la version syriaque

---

64. Cf. M. Black, *An Aramaïc Approach to the Gospels and Acts* [2], Oxford, 1954, pp. 151-153.

65. Cf. J. Jeremias, « *Die Drei-Tage-Worte der Evangelien* », *Tradition und Glaube, Das frühe Christentum in seiner Umwelt*, Gœttingue, 1971, pp. 221-229 ; aussi B. Bauer, « Drei Tage », Bib 39, 1958, pp. 354-358.

66. Jos 1, 11 ; 2, 16.22 ; 2 S 24, 13 ; Jon 3, 3.

67. 1 S 30, 12 ; Jon 2, 1.

du Nouveau Testament, suppléer un verbe après la clause *sêmeron kai aurion* ? La *peshitta* propose l'équivalent du grec *ergezethai* qui signifie « travailler » et comprend le v. 33 de la manière suivante :

Jour après jour, il me faut travailler ;
d'un jour à l'autre, il me faut partir.

Dans ce cas, le verbe *poreuesthai* (partir) ne commande plus que l'attribut *têi echomenêi* [68]. Ou faut-il plutôt supposer que le v. 33 était indépendant à l'origine avant d'être rattaché au v. 32 sur la base de la similitude des clauses temporelles [69] ? Cette dernière hypothèse rejoint l'exégèse de M.-J. Lagrange [70] qui acceptait comme un tout l'expression « aujourd'hui et demain et le jour suivant » et la traduisait par l'adverbe « désormais », renforçant ainsi le caractère d'inéluctabilité du destin de Jésus, que suggère le passage.

31. Alors, quelques Pharisiens s'approchèrent de lui pour lui dire :
    Va-t'en d'ici, car Hérode veut te tuer.
32. Il leur répondit :
    Allez dire à ce renard :
    « Voici : je chasse des démons et j'accomplis des guérisons,
    jour après jour ;
    d'un jour à l'autre, je suis « fini ».
33. Désormais, il me faut « partir »,
    car il ne convient pas qu'un prophète périsse hors de Jérusalem.

---

68. Cf. M. BLACK, *op. cit.*, pp. 151-153. L'équivalent grec *ergezethai* favorise un jeu de mots, lorsqu'il est traduit en araméen ; en effet, il se dit *leme'bad* et *poreuesthai*, *leme'bar* ; un copiste aurait pu comprendre les deux infinitifs comme une dittographie et laisser tomber un des deux verbes.
69. C'est l'avis de J. JEREMIAS, *op. cit.*, pp. 222-224.
70. *L'Evangile selon saint Luc* [4], Paris, 1927, p. 394.

En d'autres termes : tout ce que vous me dites ne peut m'effrayer. J'accomplis jour après jour la volonté du Père ; du jour au lendemain, je suis prêt à partir. L'accent porte sur la précarité du ministère de Jésus et sur sa soumission de tous les instants à la volonté divine. La finale clôt l'entretien.

Un mot encore sur le verbe *poreuomai*. On le considère généralement comme un euphémisme pour désigner la mort ; il en est de même du verbe *hupagein*, très fréquent chez Jean, alors que *poreuomai* est lucanien [71]. A l'aide de ce verbe, Luc présente toute une théologie de la mission de Jésus. Le terme, en effet, caractérise la vie errante du Galiléen (Lc 4, 30.42), surtout son dernier acte, la montée à Jérusalem. Il apparaît en 9, 51, au début de l'itinéraire, et le jalonne (9, 53.56 ; 17, 11 ; 19, 28) jusqu'en Ac 1, 10 où il désigne l'Ascension proprement dite [72].

Notre passage est palestinien et araméen dans l'expression et le vocabulaire. Il reflète parfaitement la situation du Jésus historique : le traquenard d'Hérode, la démarche des Pharisiens, la nécessité de la mort pour quelqu'un qui vit au jour le jour. L'allusion à la mort du Baptiste est d'ailleurs particulièrement précise. Jean

---

71. Cf. M. BLACK, *op. cit.*, pp. 237-238 et 169. C. COLPE, art. « *ho huios tou anthrôpou* », p. 449, note 327 reconnaît à *poreuomai* comme à *hupagô* (Mc 14, 21) une haute antiquité; ils traduisent l'hébreu *hâlak* et l'araméen *azal*. T.W. Manson propose de traduire *teleioumai* par « je suis fini » pour conserver l'ambiguïté « ma vie tire à sa fin — mon œuvre touche à sa fin ». Nous traduisons *poreuomai* par « je suis parti » plutôt que par « mourir » pour les mêmes raisons : Jésus part vers son ministère et la mort qui l'attend.

72. Dans le vocabulaire hellénistique, *poreuomai* désigne les migrations de l'âme, tandis que le « ravissement » est traduit par *analambanô*. En revanche, le N.T. emploie *anabainô* et *analambanô* pour décrire l'Ascension, plus rarement *poreuomai* (Ac 1, 10 ; 1 P 3, 22).

le prophète fut décapité hors des murs de Jérusalem. Mandaté comme lui pour prononcer l'ultime Parole, Jésus connaîtra un sort identique. Le martyre fait partie du ministère prophétique.

CHAPITRE III

LA MORT RÉDEMPTRICE

Si, à l'instar de l'élite piétiste contemporaine, Jésus a vu dans le martyre la fin habituelle et, en un sens, normale du ministère prophétique, a-t-il pour autant donné à sa fin tragique la valeur d'un sacrifice expiatoire, réalisant l'oracle d'Isaïe 52, 13-53, 12 ?

§ 7. LE LOGION SUR LA RANÇON

Le logion sur la rançon, en Mc 10, 45, s'est longtemps vu qualifié par la critique libérale de *vaticinium ex eventu* [1]. On a invoqué 1 Tm 2, 6 pour lui attribuer une origine paulinienne. On a soutenu l'hypothèse d'un logion perdu, dû à la Communauté hellénistique. On a prétendu qu'il s'agissait d'une refonte de Lc 22, 27, où toute idée de mort rédemptrice est absente.

L'analyse littéraire aboutit à la séparation du frag-

---

1. J. WELHAUSEN, *Evangelium Marci*, Berlin, 1909, p. 91. Aussi A. LOISY, *Les Evangiles synoptiques*, t. II, Paris, 1907 ; J. WEISS, *Das Markus-Evangelium*, Gœttingue, 1917, pp. 174-175 ; R. BULTMANN, *Jesus*, Berlin, 1926, p. 196.

ment sur la question des préséances (Mc 10, 42-45) de la péricope, d'ailleurs composite, de la demande des fils de Zébédée (10, 35-40) ; le v. 41 n'est qu'un lien rédactionnel [2]. De plus, le fragment sur les préséances a subi de multiples remaniements, comme en témoigne la répétition de la question de la hiérarchie communautaire en différents endroits des récits évangéliques. Le débat a conduit à remettre en valeur des logia traditionnels, primitivement indépendants les uns des autres, mais objet de relectures sous l'influence des cas de conscience qui agitaient les jeunes communautés. Lc 22, 27 est le parallèle direct de Mc 10, 45 (Mt 20, 28) ; Mc 9, 35 est parallèle à Mt 18, 4 ; 23, 11 et Lc 9, 48c.

Le discours de Mc 9, 33-50 groupe plusieurs péricopes. A la question de savoir qui est le plus grand, Jésus répond que c'est celui qui sert les autres, notamment les petits, les disciples les plus humbles de la Communauté, et qui se fait le dernier de tous. La vraie grandeur, celle du Royaume, c'est le service ! Nous sommes en présence d'une instruction parénétique, d'origine vraisemblablement palestinienne, car le vocabulaire n'est pas hellénistique, comme il l'est en Lc 22, 24-26. 27. Ce dernier fragment est une composition réalisée à l'aide de deux logia qui étaient séparés à l'origine et dont le dernier se retrouve en Mc 10, 45 [3]. Lc 22, 24-26 rapporte une dispute entre les disciples pour savoir « qui d'entre eux passe pour être le plus grand », qui est le chef de la Communauté. En guise de réponse, Jésus propose un renversement complet des valeurs et institue un nouveau modèle de relations humaines :

2. Cf. W. GRUNDMANN, *Das Evangelium nach Markus*, Berlin, 1971, p. 218.

3. Cf. H. SCHÜRMANN, *Le récit de la dernière Cène*, Lc 22, 7-38, Le Puy-Lyon, 1966, p. 66.

Le plus grand parmi vous,
qu'il devienne comme le plus jeune,
et celui qui gouverne,
comme celui qui sert.

Le vocabulaire est très communautaire et fortement hellénisé. *Euergetês* est un titre donné dans les cités grecques aux princes ou à des hommes éminents [4] ; le *hêgoumenos* est le *dux,* le « Führer », quelqu'un de préposé à un haut emploi [5]. Les *neôteroi* sont « les plus jeunes » ; ils forment dans la Communauté un groupe chargé de services particuliers, comme l'ensevelissement des morts [6]. Le verbe *diakonein* se distingue des synonymes grecs, en ce sens qu'il indique le service rendu à quelqu'un d'autre.

Après avoir défini le comportement des chefs, Jésus motive l'attitude, nouvelle, qu'il exige d'eux. Lui qui vient de présider le dernier repas partagé avec ses disciples, il dit (v. 27) :

Qui est le plus grand,
celui qui est à table ou celui qui sert ?
N'est-ce pas celui qui est à table ?
Pourtant, moi, je suis au milieu de vous
comme celui qui sert.

Cette explication rappelle Jn 13, 4-10.12-20 : Jésus lave les pieds de ses convives et ce geste devient un exemple impératif. Cette interprétation traduit la pastorale des chefs du groupe johannique ; la place du chef n'est pas contestée, mais cette position privilégiée entraîne des devoirs. Noblesse oblige ! Une théologie

---

4. W. BAUER, col. 632-633, traduit par « bienfaiteur ».

5. *Ibidem,* col. 670-671 ; *hêgoumenos* est employé dans le sens de « gouverneur » en Ac 7, 10 et désigne « les chefs parmi les frères » en Ac 15, 22.

6. H. SCHÜRMANN, *op. cit.,* p. 68 ; cf. Ac 5, 6.

identique soutient le passage lucanien : l'Eucharistie oblige au service fraternel, et c'est vrai pour les chefs en particulier. Lc 22, 24-26.27 est une instruction adressée aux chefs mêmes de la Communauté [7]. Du bon usage d'une dignité !

« Comment devenir le plus grand dans la Communauté ? » Mc 10, 42-45 met davantage l'accent sur le cercle des disciples et sur leur rang à l'intérieur du groupe. A l'origine, cette instruction de Jésus aux Dix était un morceau indépendant. Il a été ajouté rédactionnellement au récit de la demande des fils de Zébédée, parce que ce dernier épisode offrait un cadre adéquat. Le thème central de l'instruction est la *diakonia,* le service communautaire, et le logion sur la rançon marque le point final par une déclaration appuyée :

> Car le Fils de l'Homme n'est pas venu pour être servi, mais pour servir,
> et donner sa vie en rançon pour les multitudes.

La comparaison avec le parallèle lucanien amène à formuler les remarques suivantes :

1. Si Marc a deux thèmes, le parallèle de Luc n'a conservé que le premier d'entre eux, celui de la diaconie.

2. En ce qui concerne les rapports entre la forme du logion chez Mc et celle du logion chez Lc, il faut souligner que :

a) si Lc a la forme la plus ancienne, Mc reproduit alors le logion dans une forme plus développée et le thème de la rançon est un additif qui ne remonte pas à la tradition pré-pascale ;

---

7. Selon Lc 12, 37 Jésus aura la même attitude lors du festin eschatologique.

b) si, au contraire, Mc est antérieur, Lc n'est plus qu'un raccourci et n'a gardé que le thème du service. Mc nous donnerait le logion sous une forme plus développée ; le thème du service serait une relecture commandée par une situation communautaire concrète et celui de la rançon donnerait la teneur du logion primitif. Lc aurait laissé tomber l'élément primitif pour ne conserver que la relecture.

Le problème revient à définir l'origine de chacun des deux thèmes mis en œuvre. Il faut, d'une part, reconstituer la forme primitive du logion, c'est-à-dire la forme la plus ancienne que l'on puisse atteindre et à partir de laquelle le processus de développement a pris forme ; de l'autre, il faut vérifier si la forme primitive, ainsi restituée, répond effectivement à ce que nous savons par ailleurs du Jésus de l'histoire. Mc 10, 45b contient de nombreux sémitismes. L'expression *dounai tên psuchên autou* est le correspondant sémitique de *dounai heauton ;* en hébreu, on dit *sîm naphshô* ou *nâtan naphshô* [8]. Le titre *ho huios tou anthrôpou* est secondaire [9] et le *kai,* épexégétique. Le substantif *lutron* traduit quatre vocables hébreux, dont le terme *kophér* qui est le prix du rachat ou de l'expiation ; il correspond à l'araméen *pur'ân* ou *pûr'ânâ* et traduit l'idée de délivrance par voie de rachat, avec une nuance sacrificielle [10]. La préposition *anti* correspond à l'hébreu *tahat* et à l'araméen *holap.* Dernier sémitisme, l'utilisation de *polloi* qui traduit l'hébreu *rabbîm* et l'araméen *sâgîîn* et

---

8. Dans les écrits juifs, la formule désigne la mort des martyrs. Ainsi 1 M 2, 50 et 6, 44 et Mek. Ex. 12, 1 : « Les Pères et les Prophètes ont offert leur vie *(naphshâm)* pour Israël. » Très fréquente aussi dans les écrits johanniques, où *dounai* est remplacé par *tithèmi :* Jn 10, 11.15.17.18 ; 13, 37 ; 15, 13 et 1 Jn 3, 16.

9. Cf. J. JEREMIAS, *Die älteste Schicht der Menschensohn-Logien,* ZNW 58, 1967, p. 166.

10. Cf. p. 91.

possède, comme eux, un sens inclusif [11]. L'expression *anti pollôn* correspond à *huper pantôn ;* la première génération chrétienne l'a bien compris, comme le montrent 1 Tm 2, 6 et He 2, 9 [12]. L'imprégnation sémitique du logion est nette ; elle est confirmée par la rétroversion araméenne que nous reproduisons d'après G. Dalman [13] :

> *wejittên naphshêh purkân ḥulâph saggiin.*
> *kai dounai tên psuchên autou lutron anti pollôn.*

Un dernier mot en ce qui concerne l'analyse littéraire. Beaucoup d'auteurs ont prétendu que 1 Tm 2, 6 *(ho dous antilutron huper pantôn)* était à l'origine de Mc 10, 45b. Il nous paraît, au contraire, que c'est Paul qui a fortement hellénisé le verset marcien de façon à le rendre intelligible pour les Grecs. En fait, 1 Tm 2, 6 est une formule kérygmatique, sertie dans un fragment hymnique [14] et portant sur un fait salvifique majeur, la mort expiatoire de Jésus. Une réflexion sur la valeur sotériologique de la croix a existé avant Paul ; il n'est

---

11. Ni l'hébreu ni l'araméen n'ont de mots pour dire « tous » (*kol* signifie la totalité). *Polloi,* au sens inclusif, est fréquent dans l'A.T., soit comme substantif, soit comme adjectif. Comme substantif, on le trouve avec (1 R 18, 25 ; Is 53, 11.12) ou sans article (Ps 109, 30 ; Ex 23, 2 ; Ne 7, 2). Quant à l'adjectif, il qualifie uniquement les substantifs *'ammîm* (peuples), *gôyîm* (nations) et *yyîm* (îles). L'expression se retrouve dans le judaïsme extra-biblique et notamment dans le TgIs 52, 13-53, 12. Dans le N.T., le substantif *polloi* a toujours le sens inclusif, sauf en Mt 24, 12 et 2 Co 2, 17 ; il en est de même de l'adjectif.

12. L'expression *huper/peri pollôn* se retrouve dans les formules eucharistiques ; 2 Co 5, 14-15 affirme que le Christ est mort *huper pantôn.*

13. *Jesus-Jeshua. Die drei Sprachen Jesu,* Leipzig, 1922, p. 110.

14. Le caractère hymnique est marqué par le style hiératique (parallélisme synthétique, alternance de stiques longs et courts) et par la présence du participe substantivé *ho dous. Marturion, kêrux* et *apostolos* (vv. 6b-7) appartiennent au vocabulaire du kérygme.

plus possible de tenir Mc 10, 40-45 pour une présentation allégorique de la doctrine paulinienne de la
rédemption.

Si le thème de la rançon remonte à la Communauté
palestinienne de langue araméenne, d'où vient celui de
la diaconie ? Le thème littéraire du service est présent
dans le quatrième Chant du Serviteur (Is 52, 13-53, 12),
surtout dans la version septuagintale, alors que le Targum correspondant n'en contient aucune trace. Aussi,
on peut admettre que ce sont les communautés juives
de la Dispersion qui sont à l'origine du thème de la
diaconie. On peut dès lors supposer un développement
en quatres étapes :

1) le logion sur la rançon (Mc 10, 45b) qui peut
remonter à la tradition prépascale et que la Communauté palestinienne d'expression araméenne a conservé,
tout en remplaçant l'*egô* primitif par la titulature messianique ;

2) à la suite d'une réflexion sur la hiérarchie, la
même Communauté a relu le récit de la démarche des
fils de Zébédée (Mc 10, 35-40). A l'origine, ce récit,
à la forte imprégnation sémitique, avait trait à la passion des disciples [15]. La relecture s'est faite dans un
sens communautaire et il est vraisemblable que l'instruction rapportée par les vv. 42-44, sur le service de
la communauté, a été ajoutée moyennant le v. 41 ;

3) le besoin de mettre l'accent sur le service dans
la Communauté a conduit l'Eglise des Hellénistes à
relire Mc 10, 45b à la lumière d'Is 53. Jésus devenait
le modèle du service communautaire, comme il était
un exemple pour les chefs ;

4) au moment de la rédaction définitive de l'évangile
marcien, le rédacteur a fait le rapprochement entre la

---

15. Cf. pp. 156 ss

relecture communautaire de la démarche des fils de Zébédée et le logion sur la rançon, de façon à accentuer encore le thème du service. Par ailleurs, Lc 22, 27 remaniait l'ensemble dans la perspective d'une instruction parénétique adressée aux seuls chefs de la Communauté, et dans un milieu purement hellénistique.

L'étude du milieu littéraire confirme ce que l'analyse critique vient de montrer. Le thème de la souffrance et de la mort rédemptrice remonte, non seulement à la Communauté judéo-chrétienne, mais encore, selon toute probabilité, au Jésus de l'histoire.

Nous avons expliqué qu'il est de plus en plus difficile de soutenir que l'idée d'un Messie souffrant était totalement inconnue de la Synagogue [16]. L'école d'Aqiba ne semblait pas l'ignorer et la version targumique d'Is 52-53 a conservé des traces du Serviteur souffrant avant d'être intronisé — comme dans les Paraboles hénochiques — dans ses fonctions de juge et de protecteur. De même, le thème de la souffrance expiatoire est connu de la littérature rabbinique.

Le substantif *lutron* se trouve vingt fois dans la Septante. Il désigne le prix versé pour donner satisfaction à quelqu'un qui serait en droit d'exiger autre chose, notamment le prix versé pour racheter des captifs ou le prix donné par des prisonniers ou des esclaves pour acheter leur liberté. Il traduit six fois le vocable *kophér,* employé pour parler du rachat d'une vie [17], et sept fois le terme *pidyon* qui s'entend surtout de l'amende à payer pour un meurtre. Il est employé cinq fois pour rendre le verbe *gâ'al* et son dérivé *ge'ullâh* (rachat d'une terre ou d'un esclave, offrande en nature) et une fois pour *mehîr* (rachat d'un captif). Mais c'est le substantif

---

16. Cf. pp. 20-22 et 33 ss.
17. Ex 21, 30 et 30, 12-13 ; Nb 35, 31-32 ; Pr 6, 35 et 13, 8.

kophér qui répond le mieux au sens du mot *lutron*.
Le mot hébreu possède une nuance sacrificielle ; la
racine *kphr* signifie, en effet, « couvrir », « enlever
une tache ». Le verbe intensif *kippêr* a le sens de « couvrir, pacifier, faire propitiation » et le substantif *kip-
purîm*, qui se dit uniquement au pluriel, désigne
« l'expiation ». On peut en conclure que les vocables
kophér, pur'ânâ en araméen, et *lutron* traduisent la
notion de délivrance par voie de rachat, avec une
nuance sacrificielle.

La pensée rabbinique des deux premiers siècles chrétiens connaît le thème de la rançon [18] ; la valeur expiatoire de la souffrance et de la mort est affirmée dans
plusieurs *baraitôt*. Sanh. 44 b Bar. (conservée dans
T Sanh. 9, 5 (429)) affirme que la mort de l'innocent
peut lui valoir l'expiation de ses fautes passées :

On conduisait un homme pour le mettre à mort.
Il déclara :
Si ce crime m'est imputable,
ma mort ne pourra couvrir toutes mes transgressions.
Si, au contraire, je suis innocent,
ma mort sera une *expiation* pour tous mes péchés [19].

On rattache à l'école de Hillel le Rabbi Nahum de
Ginzo, qui vivait vers 90 après J.-C. Il était aveugle,
lépreux et estropié des mains et des pieds. Il se disait
heureux de pouvoir expier de cette façon son retard
à secourir un malheureux mourant de faim ; à R. Aqiba,
son disciple, qui se désolait de le voir dans cet état, il
répondit qu'il lui souhaitait pareil bienfait du ciel (b.
Ta'anit 2la) :

---

18. Cf. J. Jeremias, « Das Lösegeld für Viele (Mk 10, 45) »,
Judaïca 3, 1947-1948, pp. 249-259.
19. Aussi Berak. 60a Bar.

Ses disciples lui dirent :

Rabbi, comment t'est venue cette mutilation du corps, toi qui es si juste ?

Il leur répondit :

Mes enfants, c'est ma faute.

Un jour, je me trouvais sur la route qui conduit à la maison de mon beau-père et j'avais avec moi un chargement pour trois ânes, un de nourriture, un de boissons et le troisième avec des marchandises de valeur.

Arrive un pauvre qui m'arrête et me dit : Secours-moi avec ta nourriture !

Je lui réponds :

Attends que j'aie déchargé l'âne.

Je n'avais pas fini de décharger qu'il mourait.

Alors, je me suis penché sur son visage et j'ai dit :

Que mes yeux qui n'ont pas eu pitié des tiens se ferment ; que mes mains qui n'ont pas eu pitié des tiennes soient estropiées et que mes pieds qui n'ont pas eu pitié des tiens soient amputés.

Mon esprit ne se calma qu'après que j'aie dit :

Que tout mon corps se couvre de lèpre !

Ses disciples dirent : Malheur à nous qui t'avons vu dans cet état !

Il répondit : Malheur à moi, si vous ne m'aviez pas vu ainsi !

Nous avons déjà rencontré R. Aqiba ben Joseph, un des plus célèbres rabbis du premier siècle, mort en 135. Tannaïte de l'école de Hillel lui aussi, il est considéré, avec R. Meïr, comme l'auteur de la Mishna. Il a eu pour maîtres l'ultra-conservateur R. Eliézer b. Hyrcan et R. Josué b. Ḥananya, un érudit d'une rare ouverture d'esprit, et encore R. Nahum. Parmi ses contemporains, on compte R. Onqelos, auteur d'une version araméenne de l'Ancien Testament, et R. Tryphon. Quelques sentences ont conservé des indices de sa doctrine sur la souffrance. Selon Mek. Ex. 20, 23 (79b), la souffrance peut mériter le pardon des péchés :

> A propos d'Ex 20, 23, R. Aqiba a enseigné :
> Vous n'agirez pas avec moi comme le font les païens. Quand un bonheur leur arrive, ils honorent leurs dieux, ils sacrifient à leur filet (Ha 1, 16), mais si c'est un châtiment, ils les maudissent.
> Au contraire, Israël rendra grâce, s'il est comblé de bienfaits ; il rendra grâce encore, s'il est frappé d'un malheur... Les générations anciennes acceptaient d'être punies, quand elles se conduisaient mal dans les temps heureux. Nous qui sommes reconnaissants dans le bonheur, nous devons l'être plus encore dans le malheur... Oui, l'homme doit se réjouir plus dans le malheur que dans le bonheur, car s'il n'arrivait à l'homme que du bien, ses péchés ne pourraient être pardonnés.
> Qu'est-ce qui lui méritera le pardon ? C'est la souffrance.

Il semble qu'Aqiba ait pu développer sa pensée à l'occasion de la maladie d'un de ses maîtres, R. Eliézer b. Hyrcan. Ses propos sont rapportés dans le Siphré Deutéronome (6, 5, § 32 (73b)) et dans b. Sanh. 101b :

> Rabbah bar Hanna a enseigné (vers 280) :
> Quand R. Eliézer était malade, il reçut la visite de ses élèves.
> Il leur dit :
> La colère est grande en ce monde.
> Tous se mirent à pleurer, sauf Aqiba qui continuait à sourire.
> Les autres lui dirent :
> Pourquoi souris-tu ?
> Il répondit :
> Pourquoi pleurez-vous ?
> Et eux :

Comment ? « Le Livre de la Tôra »[20] est dans la
détresse et nous ne devrions pas pleurer.
Pourtant je continue à sourire, dit Aqiba, car aussi
longtemps que je ne voyais pas le vin de mon maître
s'aigrir ni sa cruche se casser, son huile rancir et son
miel fermenter, je pouvais penser qu'il avait déjà reçu
sa récompense. Maintenant que je le vois dans la
détresse, je me réjouis.
Car il n'est homme qui n'ait péché (Qo 7, 20) et qui
n'ait donc à *expier*.

On trouve encore une formule intéressante dans Sanh.
6, 2 ; elle est suivie d'un dit d'un élève d'Aqiba :

Lorsqu'un condamné à mort sera arrivé à dix coudées
du lieu de l'exécution, on lui dira :
Confesse tes péchés.
Il est d'usage, en effet, que les condamnés à mort
reconnaissent publiquement leurs crimes, car celui qui
se confesse a part au monde à venir.
S'il ne souhaite pas cette confession, on lui dira :
Répète : *que ma mort expie tous mes péchés.*
R. Juda ajoutait :
S'il sait qu'un faux témoignage a été porté contre lui,
il peut dire : que ma mort soit une expiation pour tous
mes péchés, à l'exception de celui-ci.

R. Néhémie considérait que la valeur de la souffrance
était supérieure à celle de l'offrande ; souffrir engage
toute la personne :

La souffrance est un bienfait. De même que les sacrifices expient, la souffrance a une valeur rédemptrice.
Que dit-on au sujet du sacrifice ? Il appuiera sur la
tête de l'holocauste qui sera agréé pour lui, pour faire
propitiation *(kippêr)* pour lui (Lv 1, 4).

---

20. C'était le surnom d'Eliézer ben Hyrcan.

Et au sujet des peines ? Ils paieront pour leurs fautes
(Midr. Lv 26, 41). En outre, le châtiment expie plus
que l'offrande. L'offrande expie par la valeur de l'argent ; la souffrance expie avec le corps, ainsi qu'il est
écrit dans Job 2, 4 : Peau pour peau. (Mek. Ex 20,
23 (79b)).

Un autre Hillélite, contemporain d'Aqiba, a plaidé
la valeur suréminente de la souffrance et de la mort :

R. Ismaël a enseigné :
Il existe quatre manières d'expier :
Si quelqu'un a violé un commandement et a fait *pénitence,* il sera pardonné, ainsi qu'il est écrit : Revenez,
fils d'apostats, je guérirai vos apostasies ! (Jr 3, 22).
Si quelqu'un a violé une interdiction et fait pénitence,
l'exécution de la peine est suspendue par la pénitence
et l'expiation aura lieu lors du *Yôm Kippûr,* comme il
est écrit : En ce jour, on fera une expiation pour vous
(Lv 16, 30).
Si quelqu'un a commis des péchés pour lesquels l'extermination par Dieu ou la peine de mort sont requises
et s'il fait pénitence, cette pénitence et la fête du Yôm
Kippûr suspendront la peine. La *souffrance* aura une
valeur expiatoire, comme l'affirme le Ps 89, 33 : Je
punirai leurs transgressions par la verge et leur faute
par des coups.
Si quelqu'un enfin a profané le nom de Dieu et a fait
pénitence, la pénitence ne suspendra pas l'exécution
et le Yôm Kippûr n'expiera pas, mais la pénitence et le
Yôm Kippûr expieront pour un tiers, les souffrances
endurées pendant le reste de l'année pour un second
tiers et la *mort* expiera complètement, ainsi qu'il est
écrit : Cette faute ne sera pas pardonnée que vous mou-
riez. Ceci nous enseigne que *la mort expie complètement* (T Yoma 5, 6ss).

L'idée qu'un homme puisse être une offrande expiatoire pour un autre était également courante dans la Synagogue. On la rencontre dans une *baraita* :

Un fils a honoré son père durant sa vie comme dans la mort.
Qu'est-ce à dire dans la mort ?...
Il avait coutume de parler au nom de son père. C'est ainsi qu'il ne disait pas : ainsi a parlé mon père, mais : ainsi a parlé mon père, mon seigneur. *Que je sois anathème sur son lit de mort !...* (Qid. 31b Bar.).

La même formule se retrouve dans Sanh. 2, 1 et Neg. 2, 1 [21].

L'école de Shammaï, dont l'activité se situe entre 50 et 90 après J.-C., a connu également le thème de l'expiation. Une sentence de R. Sadoq le Vieux en témoigne (Siphré Numeri 35, 34, § 161 (62b)). Un jour, raconte Sadoq, deux prêtres gravissaient la rampe

---

21. Sanh. 2, 1 :

Lorsque le grand prêtre recevait des condoléances, tout le peuple criait : Puissions-nous être *anathèmes pour toi !*
Et lui répondait : Que les Cieux vous bénissent !

Neg. 2, 1 :

R. Ismaël b. Elisha (mort en 135) disait :
Les enfants d'Israël — *que je sois anathème pour eux !* — ont la couleur du buis. Ils ne sont ni noirs ni blancs ; ils sont basanés.

Paul, l'ancien rabbi, a repris l'expression à son compte. On lit en Rm 9, 3 :

Car je souhaiterais être, moi-même, *anathème,* séparé du Christ, pour mes frères.

Le rite de l'anathème *(ḥérém)* est liée aux guerres de l'ancien Israël. Ces guerres étaient des « guerres saintes » engagées sur l'ordre de Yahvé et conduites avec son aide. Yahvé assurait la victoire et était remercié par l'offrande d'une partie du butin. L'anathème consistait dans l'abandon à Yahvé des profits de la victoire. Le mot traduit le fait de « séparer », de soustraire à l'usage profane et de réserver à un usage sacré.

qui conduit à l'autel, quand l'un d'eux dépassa l'autre de quatre coudées. Furieux, le premier prit un couteau et poignarda son voisin. R. Sadoq s'avança sur les marches de l'entrée du Temple et s'écria : « Ecoutez, frères, fils d'Israël, on lit en Dt 21, 1 ss. que lorsqu'on trouve, en pleine campagne, le corps d'une victime, sans qu'on sache qui l'a frappée, les anciens et les juges doivent sortir de la ville et mesurer la distance qui sépare les villes voisines du cadavre [22]. Aussi, accourez et décidons à qui incombe le devoir d'amener la génisse. Tous les Israélites fondirent alors en larmes, mais le père de la victime déclara : « Frères, que je sois votre expiation [23] ! »

Le disciple le plus célèbre d'Aqiba fut R. Meïr, dont on situe l'activité vers 150. Makkot 2, 6 a gardé de lui un enseignement sur le criminel réfugié dans une ville d'asile. Il rentre dans ses droits à la mort du grand prêtre :

La communauté le renverra à la ville de refuge, où il s'était retiré. Il y restera jusqu'à la mort du grand prêtre, oint avec l'huile sainte (Nb 35, 25).
A cet égard, le grand prêtre qui a été oint avec l'huile de l'onction, celui qui a été consacré par des vêtements et celui qui a été démis de ses fonctions, ont le même

22. La ville la plus proche est supposée avoir servi de refuge au meurtrier. Les anciens de la cité incriminée doivent la laver de tout soupçon.
23. Même écho dans Qid. 40b, tandis que p. Sanh. 11, 30c, 28 rappelle la doctrine du roi, incarnation de son peuple :

Ta vie répondra pour sa vie et ton peuple pour son peuple (1 R 20, 42).
Il se fait, en effet, que les Israélites ont marché au combat, mais que seul le roi Achab trouva la mort (1 R 22, 35). Comment comprendre alors : ton peuple pour son peuple ?
R. Jean a enseigné au nom de R. Simon b. Yoḥai (un disciple d'Aqiba) :
Chaque goutte de sang qui coule d'un juste expie pour tout Israël.

crédit. R. Juda a dit : Celui qui est oint à la guerre
(cf. Dt 20, 2-3) obtient aussi le retour du meurtrier.
C'est pourquoi les mères des grands prêtres assurent
au meurtrier l'entretien et l'habillement, pour qu'il ne
prie pas pour la mort de leur fils. Si le jugement est
prononcé, lorsque le grand prêtre meurt, le meurtrier
n'est pas banni. Si le grand prêtre meurt avant le prononcé du jugement et qu'ensuite la sentence est prononcée, le meurtrier ne peut revenir qu'après la mort du
successeur [24].

Les « nations » expient pour Israël, comme l'exprime
R. Ismaël :

Heureux les Israélites, car Dieu fait *expier* à leur place
les nations païennes, ainsi qu'il est écrit : J'ai donné
l'Egypte en rançon pour toi (Is 43, 3). (Mek. Ex 21,
30 (93b)).

Mais les Pères et les Prophètes peuvent aussi expier
pour le peuple ; c'est ce qu'enseignait R. Jonathan
b. Joseph, un disciple du précédent :

Jonas leur a dit : Prenez-moi et jetez-moi dans la mer
(Jon 1, 12).

---

24. A l'origine, un meurtrier devait être tué par le « vengeur
du sang », le plus proche parent masculin de la victime. Le droit
pénal ne faisait aucune distinction entre celui qui avait agi avec
préméditation et celui qui avait seulement provoqué un accident.
Assez tôt, cependant, le droit s'est humanisé et on a tenu compte
de la culpabilité subjective du meurtrier effectif. Ex 21, 13-14 et
Nb 35, 9-34 contiennent des dispositions légales qui permettaient
au meurtrier innocent de se réfugier dans un lieu d'asile, où le
vengeur du sang ne pouvait venir le chercher. Nb 35, 25 précise
que le meurtrier devait rester dans la ville de refuge, jusqu'à la
mort du grand prêtre en exercice. R. DE VAUX (*Les Institutions de
l'Ancien Testament*, I, Paris, 1961, p. 249) pense que le rôle attribué
à la communauté et la mention du grand prêtre dont la mort
marquait une amnistie générale indiquent que Nb 35 a été rédigé
après l'Exil. Cette date tardive et le manque de précisions sur
les villes de refuge suggèrent que la disposition n'a jamais été
appliquée. Ce qui est important, c'est que Mak. 2, 6 témoigne
d'une disposition juridique qui remonte au retour de l'Exil.

De même, tu trouveras que les Pères et les Prophètes se sont livrés eux-mêmes pour Israël. Comment comprendre Moïse, lorsqu'il a dit : Et maintenant, si tu supportais leur péché !... Sinon, efface-moi de ton livre ! (Ex 32, 32). Plus loin encore : Si tu me traites de la sorte, tue-moi plutôt, je t'en prie, si j'ai trouvé grâce à tes yeux. Que je ne voie plus mon malheur (Nb 11, 15).
Enfin, de David : c'est moi qui ai péché et qui ai commis une faute. Mais ces brebis, qu'ont-elles fait ? De grâce, que ta main soit contre moi et la maison de mon père ! (2 S 24, 17).
Tu vois, tu trouveras partout *des Pères et des Prophètes qui ont offert leur vie pour Israël.* (Mek. Ex 12, 1 (2a)).

Les textes rabbiniques évoqués s'étendent sur les deux premiers siècles chrétiens, c'est-à-dire sur la période que G. Moore [25] a appelée la « tradition catholique » du judaïsme. Mais ils peuvent refléter une thématique antérieure à eux car, dans une religion essentiellement traditionnelle, les croyances se perpétuent inchangées pendant des générations. Nous avons trouvé des indices d'une doctrine de la valeur rédemptrice de la souffrance et de la mort dans des *baraitôt*. Toutefois, il faut aussi compter avec l'impact qu'a eu sur l'évolution des idées la catastrophe de 70. En ce qui concerne la littérature apocryphe, il faut noter que le thème de la rançon est surtout développé dans les milieux helléniques [26], tandis qu'en Palestine la souffrance est avant tout res-

---

25. *Judaïsm in the First Centuries of the Christian Era,* I, Harvard, p. 126.
26. En 4 M, un apocryphe écrit sous le règne de Trajan, une place importante est faite à la souffrance des justes et des martyrs. La souffrance a une valeur purificatrice pour Israël et la mort du martyr est une rançon pour les péchés du peuple. Cf. 4 M 6, 28-29 et 17, 21-22.

sentie comme une *paideia,* un signe de l'amour de Yahvé
qui s'efforce sans cesse de ramener le peuple à la
conversion [27]. On aura mesuré la portée de ces témoins,
quand on aura noté qu'ils appartiennent tous au
judaïsme contemporain de Jésus et sont immédiatement
antérieurs ou postérieurs au Nouveau Testament [28].

§ 8. Les formules eucharistiques

Les paroles de la Cène sont transmises en cinq
endroits différents. Le texte le plus ancien au point

---

27. Datée de 95 ap. J.-C., on peut citer Bar. syr. 13, 9 et 78,
5b-6. Les PsSal comprennent aussi la souffrance comme une
paideia (3, 9 ; 13, 10 ; 16, 14b-15).

28. Pour la littérature rabbinique, on a

1. de l'école de Shammaï (vers 30 av. J.-C.) :		
vers 70 ap. J.-C.	R. Çadoq l'Aîné	S. Nu. 35, 34, § 161 (62b)
vers 100	R. Eléazar b. Çadoq	Qid. 40b
2. de l'école de Hillel (vers 20 av. J.-C.) :		
vers 90	R. Nahum de Ginzo	b. Ta'anit 21a
+ 135	R. Aqiba b. Joseph	Mek. Ex. 20, 23 (79b) S. Dt. 6, 5, § 32 (73 b)
+ 135	R. Ismaël b. Elisha	T. Yoma 5, 6 ss.
son élève parmi les disciples d'Aqiba	R. Yonathan	Mek. Ex. 12, 1 (2a)
vers 150	R. Néhémie	Mek. Ex. 20, 23 (79b)
	R. Simon b. Yoḥai	p. Sanh. 11, 30c, 28
	R. Juda b. Elai	Sanh. 6, 2 Sanh. 44b Bar. Berak. 60a Bar.
	R. Meïr	Mak. 2, 6

Pour la littérature apocryphe :

Bar. syr. : 95 ap. J.-C.
4 M : 117/118 ap. J.-C.

de vue littéraire est 1 Co 11, 23-25 inséré dans une longue péricope sur l'organisation du culte. Les récits synoptiques appartiennent aux récits de la Passion. Le texte de Lc 22, 15-20 est apparenté au récit paulinien, mais reste indépendant de lui ; le texte de Mc 14, 22-25, répété avec des divergences en Mt 26, 26-29, est également indépendant. Il faut ajouter Jn 6, 51c qui est la forme johannique de la parole sur le Pain.

D'emblée, le récit lucanien apparaît comme le plus logiquement structuré. Le récit de la préparation de la Pâque par les disciples (22, 7-13.14) est suivi de la narration de la Pâque juive entrecoupée d'un double logion eschatologique (vv. 15-18). Vient alors le récit de l'institution eucharistique proprement dite (vv. 19-20). Enfin, l'annonce de la trahison de Judas (vv. 21-23) clôture l'ensemble et ouvre la péricope du discours des adieux qui contient une parole sur le banquet eschatologique (v. 30). L'artifice rédactionnel permet à Jésus de donner congé à la Pâque juive avant d'instituer l'Eucharistie. Il prend une coupe de vin, la bénit et la donne aux disciples. En même temps, il annonce qu'il ne boira plus de vin avant de le boire « nouveau » dans le Royaume. La Pâque juive est remplacée par l'Eucharistie ; le banquet eucharistique est le prélude du banquet eschatologique [29].

L'analyse littéraire des différents récits conduit à postuler deux traditions parallèles. Les formules eucharistiques de Marc-Matthieu renvoient à une même tra-

---

29. Cf. P. Benoit, « Le récit de la Cène dans Lc., XXII, 15-20. Etude de critique textuelle et littéraire », *Exégèse et Théologie*, I, Paris, 1961, pp. 163-203. X. Léon-Dufour, « Jésus devant sa mort à la lumière des textes de l'Institution eucharistique et des discours d'adieu », *Jésus aux origines de la Christologie*, Gembloux, 1975, pp. 141 ss. voit dans Lc 22, 15-18 une forme « testamentaire » du récit de la Cène. Pour la discussion sur le texte court ou long de Lc, voir aussi J. Jeremias, *La dernière Cène. Les Paroles de Jésus*, Paris, 1972, pp. 191-193.

dition cultuelle palestinienne, dans les communautés
de la Décapole, peut-être Césarée de Philippe. La
formule grecque serait une traduction de la formule
araméenne initiale. 1 Co 11, 23-25 et Lc 22, 19-20
rapportent la formule eucharistique des communautés
syriennes. Les deux énoncés constituent une double
version de la même traduction grecque à partir de
l'unique formule araméenne initiale. La forme la plus
ancienne de *berâkôt* sur le pain et la coupe, qui puisse
être restituée, est la suivante :

> *touto to sôma (hê sarx) mou*
> *touto*
> ⎰ *to haima mou tês diathêkês*
> ⎱ *hê diathêkê en tôi haimati mou*
> *to ekchunnomenon huper pollôn* [30].

La formule paulinienne, reconnue pour la plus
ancienne, a été écrite au printemps 54, mais Paul ne
faisait que rappeler un formulaire qu'il avait vraisemblablement reçu lui-même à Antioche, peut-être dès sa
conversion, et transmis aux Corinthiens au début de son
travail missionnaire (automne 49). Or, Paul s'était établi
à Antioche au plus tard au milieu de l'année 40 (Ac 11,
26). La formule qu'il transmettait serait née dans les
dix années qui ont suivi la mort de Jésus. Aujourd'hui,
les paroles eucharistiques sont serties dans des péricopes liturgiques, mais les travaux sur l'influence du culte
dans la transmission des formulaires ont révélé un stade
préliturgique de la tradition. Les péricopes eucharisti-

---

30. La rétroversion araméenne donne pour le pain :
dên (dena) bîsrî ;

pour la coupe :

dên (dena) qeyâmâ beîdmî
demishtephêk 'al saggîîn.

La rétroversion hébraïque *(lingua sacra)* :
zéh besârî
zéh habberît bedâmî
hannishpak be'ad rabbîm.

ques ont d'abord été des récits historicisants. Leur analyse permet de dégager le caractère du repas de Jésus.

1. LE DERNIER REPAS

Au temps de Jésus, trois types de repas existaient :
le repas ordinaire quotidien, le banquet de fête avec
libations et le repas pascal. Le dernier repas, que Jésus
prit avec ses disciples, suit le rituel du repas ordinaire.
Contre l'hypothèse du repas pascal plaide, en effet, un
triple argument. Le premier est d'ordre littéraire. Le
repas eucharistique baigne dans une ambiance pascale,
mais ce contexte est secondaire. L'étude du récit de
la préparation de la Pâque apporte des données pré-
cieuses. La comparaison du récit marcien des préparatifs (14, 12-16) et du parallèle direct de Matthieu
(26, 17-19) avec le récit marcien de l'entrée à Jérusalem
(11, 1 ss.) permet de postuler l'existence de deux récits
archaïques, le premier (A) proche de Mt, le second (B)
proche de Mc/Lc :

A	B
Le premier (jour) des Azymes,	Quand on immolait la Pâque,
les disciples disent :	il envoie deux de ses disciples
« Où veux-tu que nous te préparions à manger la Pâque ? »	
Il dit :	et leur dit :
« Allez dans la ville,	« Comme vous entrerez dans la ville, viendra à votre rencontre un homme portant une cruche d'eau ; suivez-le et là où il entrera,
	dites au propriétaire :
chez un tel et dites-lui :	Où est ma salle où je mangerai la Pâque avec mes disciples ?
Le Maître dit :	
Chez toi je fais la Pâque avec mes disciples ;	

	Et lui vous montrera une salle haute, grande, garnie de coussins,
là, préparez tout pour nous. »	toute prête. »
Et les disciples vinrent à la ville	Ils partirent
et ils préparèrent la Pâque.	et ils trouvèrent tout comme il le leur avait dit.

Le récit A est sobre et purement descriptif. Les disciples prennent l'initiative et sont envoyés chez un sympathisant, à qui il suffit de faire part du désir de Jésus de manger chez lui la Pâque. Le récit A rapporte les préparatifs d'une célébration pascale, mais rien ne prouve qu'il s'agit du repas eucharistique. Matthieu s'est inspiré de ce récit ; sa griffe est aisément reconnaissable [31]. Le récit B est nettement théologique. L'initiative de Jésus est fortement soulignée ; le Maître domine l'événement. Il envoie ses disciples et leur donne un signe ; les disciples trouvent tout comme Jésus le leur avait annoncé. Par ailleurs, le récit se fait plus précis. Jésus n'envoie plus que deux de ses disciples ; Luc donnera leur nom, Pierre et Jean. Les contacts avec

---

31. Le verbe *proserchesthai* (v. 17) est très matthéen ; l'expression « mon temps est proche » (v. 18) est vraisemblablement une relecture matthéenne. Le v. 19 (« les disciples firent comme Jésus le leur avait ordonné ») est à rapprocher de 21, 6 (entrée à Jérusalem) ; il s'agit d'un septuagintisme (Ex 1, 17 ; Lv 8, 4 et Nb 20, 27). Cf. Mc 14, 16 ; Lc 19, 32 et 22, 13. Il n'est pas sans intérêt de noter que certains critiques situent le récit de l'entrée messianique lors d'un séjour de Jésus à Jérusalem, mais pas nécessairement le dernier — Pour la discussion, cf. *Synopse* II, S 273, III.

Au v. 17 encore, on lit *têi de protêi tôn azumôn* (le premier jour des Azymes). En fait, la fête de la Pâque (manducation du repas pascal, le soir du 14 Nisan précédant la nuit de l'équinoxe de printemps) et celle des Azymes (octave qui suivait, soit du 15 Nisan au lever du soleil au 21 au soir) étaient distinctes. La confusion de la Pâque et des Azymes trahit un milieu hellénistique.

le récit de l'entrée messianique sont nombreux [32]. En conclusion, la version lucano-marcienne des préparatifs de la Pâque est une pièce récente qui combine deux récits antérieurs, dont l'un, purement descriptif, se lit dans le parallèle matthéen et dont l'autre se retrouve dans la péricope de l'entrée messianique à Jérusalem. La combinaison des textes archaïques explique pourquoi, chez Marc (14, 15), les disciples doivent encore « préparer » une salle déjà « prête » [33]. Il faut d'ailleurs reconnaître une touche théologique à cet inélégant doublet. Ce qui est déjà prêt, c'est l'agneau pascal et, si celui-ci est prêt, c'est parce que Jésus est lui-même le véritable agneau pascal [34].

Le deuxième argument à faire valoir contre l'hypothèse du repas pascal est d'ordre rituel. Le repas eucharistique n'offre aucune trace du rituel caractéristique de la Pâque. Le repas pascal comprenait quatre parties [35]. La première s'ouvrait par une bénédiction sur une première coupe de vin coupé d'eau ; c'était le rite du *Qiddush* [36]. Après le coucher du soleil, lorsque la première étoile s'allumait dans le ciel, le père de famille, entouré des siens, disait la bénédiction « sur la fête » et bénissait une coupe de vin. Pour le repas pascal, le seul à commencer après le coucher du soleil, la sanctification de la fête avait lieu au début du repas ; le maître prononçait la bénédiction sur la première coupe de vin (coupe dite du *Qiddush*). Alors seulement était

---

32. V. TAYLOR, *The Gospel According to St Mark*, Londres, 1953, p. 536 a relevé ces contacts ; pour lui, les péricopes ne constituent pas un doublet, mais illustrent la tendance de Mc à se répéter. C'est aussi l'avis de J. DELORME, « La Cène et la Pâque dans le Nouveau Testament », *Lumière et Vie*, 31, 1957, p. 26.

33 Lc 22, 12 a évité le piège.

34. Cf. p. 111 et note 46.

35. Cf. J. JEREMIAS, *op. cit.*, pp. 93-94.

36. *Qiddush* signifie « sanctification ». Le Qiddush est la bénédiction prononcée au début de chaque sabbat ou de chaque jour de fête ; elle distingue les jours sacrés des jours profanes.

servi un mets d'entrée fait d'herbes vertes, d'herbes amères et d'une compote de fruits séchés, appelée *ḥaroset*. La première partie du repas se terminait par la présentation solennelle des plats principaux, déposés sur la table, et par la préparation d'une deuxième coupe de vin. La liturgie pascale caractérisait la seconde partie du banquet. Le père de famille commentait le chapitre 12 de l'Exode et entonnait la première partie du Hallel de Pâque. Pour terminer, on buvait la deuxième coupe dite de la *Haggâdâh*. La troisième partie de la soirée était consacrée à la Cène proprement dite. On prononçait une *berâkâh* sur les pains azymes [37] et on consommait l'agneau pascal, les pains, des herbes amères et la compote. On terminait en bénissant la troisième coupe de vin appelée « coupe de la bénédiction » [38]. Tout se clôturait par le chant de la troisième partie du Hallel [39].

On ne trouve rien de semblable dans le repas de Jésus. Ni mets symboliques, ni commentaire d'Exode 12, ni les trois coupes de la liturgie pascale contemporaine. Jésus a suivi le rituel du repas ordinaire, avec sa double bénédiction. Les ablutions achevées, le maître de maison se redressait sur son divan, prenait du pain dans le plat qui se trouvait devant lui *(arton lambanein)* et prononçait au nom de tous les convives la bénédiction suivante :

« Béni sois-tu,....., notre Dieu, roi de l'univers,
toi qui fais germer le pain de la terre » (Berak. 6, 1).

---

37. « Béni sois-tu,...., notre Dieu, roi de l'univers,
toi qui nous sanctifies par tes commandements
et nous donnes les azymes à manger. »

38. C'est la *kos shel berâkâh,* la *potêrion tês eulogias* de 1 Co 10, 16.

39. Mc 14, 26 : « et ayant chanté des psaumes, ils sortirent vers le mont des Oliviers », est à replacer dans le contexte pascal dont on a revêtu par la suite le dernier repas de Jésus. Contre J. JEREMIAS, *op. cit.,* p. 26.

Les convives faisaient leur cette bénédiction en répondant *Amen* d'une voix claire. Après l'*Amen*, le président rompait le pain *(klan)* et tendait un morceau à chaque convive *(autois didonai)*. Après le repas *(meta to deipnêsai)*, le principal invité (ou le maître de maison) disait la bénédiction « pour le repas » *(birkat hammazôn)*. Celui qui la prononçait se redressait et prenait sur la table une coupe de vin coupé d'eau. Il la levait *(lambanein)* d'une largeur de main au-dessus de la table et, les yeux fixés sur la coupe, récitait au nom de tous l'action de grâce [40]. Elle comprenait, avant 70, deux bénédictions, la *birkat hazzân* :

Béni sois-tu,....., notre Dieu, roi de l'univers,
toi qui nourris le monde entier,
avec bonté, grâce et miséricorde.

Et la *birkat hââréç* :

Nous te rendons grâce, Seigneur,
parce que tu nous as permis de posséder
une terre bonne et vaste.

Enfin, le dernier argument est d'ordre chronologique. Deux données préliminaires sont à prendre en considération. Il faut d'abord préciser que la Loi juive fixait le repas pascal le soir du 14 Nisan, c'est-à-dire au début

---

40. Il s'agit encore de la *potêrion tês eulogias*. Après 70, on ajoutera une prière pour Israël *(birkat bônéh Yerûshâlêm)* et, après 120, une quatrième formule de bénédiction *(birkat hattob wehammêtib)*. En fait, on peut penser que ces formulaires stéréotypés ne reflètent pas la situation réelle au temps de Jésus. On a trouvé à Qumrân trois cents fragments liturgiques contenant des formulaires pour la prière du matin et du soir, pour *chaque jour du mois* (C. H. HUNZINGER, « Aus der Arbeit an den unveröffentlichen Texten von Qumrân », ThLZ 85, 1960, col. 151-152 ; voir aussi RB 63, 1956, p. 67). On peut se demander s'il n'existait pas une variation similaire et parallèle pour les *berâkôt* des repas.

du 15 (Ex 12, 6a). A l'époque de Jésus, l'agneau devait être immolé au Temple « entre les deux soirs » (Ex 12, 6b), en fait après le sacrifice du soir [41]. La seconde donnée préjudicielle est l'accord des évangélistes sur le jour de la mort de Jésus : un vendredi. Le désaccord porte sur la date. Pour les Synoptiques, le souper pascal aurait eu lieu le jeudi soir et Jésus serait mort le vendredi 15 Nisan. D'après Jn 18, 28, les Juifs ont célébré la Pâque le soir du jour où Jésus fut crucifié, soit le vendredi 14 Nisan. La chronologie johannique offre de meilleures garanties. Selon le quatrième évangile, les grands prêtres auraient ourdi leur complot après la résurrection de Lazare (11, 45-53), en tout cas avant le début du pèlerinage de la Pâque (11, 55) ; l'épisode de l'onction de Béthanie se serait déroulé six jours avant la Pâque, soit le 9 Nisan (12, 1) ; l'entrée à Jérusalem, le lendemain 10 (12, 12) ; le repas d'adieu, « avant » ou mieux « la veille de la Pâque » (13, 1), c'est-à-dire le 13 Nisan au soir, et l'arrestation, ce même soir (18, 1.12). Le lendemain, vendredi 14 Nisan, Jésus fut conduit de chez Caïphe au Prétoire. Jn 18, 28 précise que c'était le matin et que les Juifs n'entrèrent pas dans le prétoire pour ne pas se souiller et rester ainsi dans les conditions de pureté légale requises pour pouvoir manger la Pâque. Parlant du déroulement du procès chez Pilate, Jn 19, 14 dit encore que « c'était la préparation de la Pâque » *(ên de paraskeuê tou*

---

41. Cette immolation avait lieu après le sacrifice du soir offert normalement à 15 h 30, mais avancé les jours de fête :

Après le sacrifice du soir, on immolera la Pâque...
Le sacrifice du soir est immolé à la huitième heure (14 h 30) et offert à la neuvième (15 h 30). Le jour de la Préparation de la Pâque, il sera immolé à la septième heure (13 h 30) et offert à la huitième, aussi bien en semaine que le jour du sabbat. Si la Préparation tombe la veille du sabbat, il sera immolé à la sixième heure (12 h 30) et offert à la septième (Pes. 5, 1).

pascha) [42]. Jn 19, 31 ajoute que cette journée était spéciale ; en effet, le sabbat qui la suivait était un Grand Sabbat, puisqu'il coïncidait avec le premier jour des Azymes. Enfin, Jn 19, 42 nous apprend que Jésus fut enseveli dans un tombeau voisin, à cause de la « Préparation des Juifs ». On obtient finalement le tableau chronologique suivant :

dim. 9	lundi 10	mardi 11	mercr. 12	jeudi 13	vendredi 14	sam. 15	dimanche 16
lot Béthanie	Entrée à Jérus.			Cène	Mort Pâque		Nisan Résurrection

La chronologie synoptique est différente et beaucoup plus stylisée. Les événements se déroulent en l'espace d'une semaine ; la résurrection est l'anti-terme du complot [43]. Les préparatifs de la Cène ont lieu le jour

42. J. JEREMIAS, *op. cit.*, p. 88 et note 400 émet des réserves vis-à-vis de la donnée chronologique de Jn 19, 14. Il note que l'expression constitue un hapax qui n'a pas été attesté dans la littérature araméenne. En effet, si l'hébreu ʿéréb pesaḥîm ou ʿéréb happésaḥ (littéralement : « le soir de la Pâque ») est courant dans la Mishnah, l'araméen ʿerûbtâ dîpisḥa apparaît pour la première fois dans Midr. Ruth 3, 4 sur 1, 17. Selon C.C. TORREY (« The Date of the Crucifixion according to the Fourth Gospel », JBL 50, 1931, pp. 232-237.241 ; « In the Fourth Gospel the Last Supper was the Paschal Meal », JQR 42, 1951/52, pp. 237-250), l'expression serait à comprendre non comme « le vendredi, veille de la Pâque », mais comme « le vendredi de la semaine pascale ». L'argumentation de Torrey a été réfutée par S. ZEITLIN (« The Date of the Crucifixion according of the Fourth Gospel », JBL 51, 1932, pp. 263-271). M. JASTROW, *A Dictionary of the Targumim, the Talmud Babli and Yerushalmi and the Midrashic Literature*, II, New York, 1950, p. 1114 traduit l'araméen ʿerûbtâ par « la veille » : ʿerûbtâ dishabtâ (ou simplement ʿerubtâ) est « la veille du sabbat » ; ʿerûbtâ diçôma, « la veille du Grand Jeûne », et ʿerûbtâ dîpishâ, « la veille de la Pâque ».

43. La stylisation marcienne se poursuit dans les récits de la Passion. Mc donne six indications de temps, séparées par un délai de trois heures qui correspondent aux heures de la prière (14, 68 ; 15, 1.25.33.34.42).

de l'immolation de l'agneau pascal (confondu avec le premier jour des Azymes) et le repas d'adieu déroule son rituel pendant que les Juifs mangent l'agneau pascal. On remarquera aussi que Mc 14, 1-2 rapporte que les membres du Sanhédrin avaient décidé l'arrestation de Jésus deux jours avant la fête et avaient fait connaître expressément leur intention de ne pas y procéder le jour même de la Pâque. Marc ne dit nulle part pourquoi le programme initial fut changé. Il est possible que deux traditions différentes voisinent sans lien entre elles [44].

mardi 12	mercr. 13	jeudi 14	vendredi 15	samedi 16	dimanche 17
Complot		Cène Pâque	Mort		Nisan Résurrection

Il est encore intéressant de noter qu'un texte du traité *Pesaḥim* (8, 6a) signale l'existence d'une coutume d'amnistie au moment de la Pâque, coutume dont les quatre évangélistes rendent compte et qui montre que la relaxation des prisonniers avait lieu le soir du souper pascal, c'est-à-dire dès le 14 Nisan. Or, seul, Jean place l'amnistie de Barabbas le 14 Nisan (Jn 18, 39) ; les Synoptiques se contentent de dire que la coutume s'applique lors de chaque Pâque [45]. Comme Jean nous y invite, il faut placer la mort de Jésus l'après-midi du vendredi 14 Nisan, veille d'un Grand Sabbat et jour de l'immolation des agneaux pascals. Le repas d'adieu avait eu lieu la veille, le jeudi soir 13 Nisan. L'auteur du quatrième évangile n'a d'ailleurs pas manqué de

---

44. J. BLINZLER, *Le procès de Jésus*, Tours, 1961, p. 104.

45. Une autre précision importante, fournie par le quatrième évangile, est la parodie de procès dont Jésus fut l'objet devant le grand prêtre. Au contraire des Synoptiques, Jean ne s'efforce pas de donner à Jésus un procès légal.

tirer parti des conclusions christologiques que lui four-
nissait l'heure de la mort de Jésus, au moment même où
les agneaux de la Pâque étaient immolés au Temple.
Selon Jn 19, 14, Pilate a présenté le roi des Juifs à la
foule le jour de la préparation de la Pâque, à l'heure
où les pères de famille conduisaient au Temple les
agneaux à abattre [46].

2. LA THÉOLOGIE DES BERAKOT EUCHARISTIQUES

Mc 10, 45b rapporte que Jésus donne sa vie en rançon pour les « nombreux ». Lorsqu'il présente le pain
et la coupe de vin à ses disciples, Jésus se donne pour les
mêmes multitudes « chair » et « sang », *sarx* et *haima*.
En comparant le pain qu'il vient de rompre avec son
corps mis à mort et le vin avec son sang versé, Jésus
utilise les termes du langage sacrificiel : *bisrâ udemâ*,
en araméen, désignent les deux parties du corps des
animaux offerts en sacrifice. Le substantif *sarx (sôma)*
exprime l'ensemble de l'individu, sa « personne », et la
juxtaposition des vocables *sarx* et *haima* est suggérée
par la langue cultuelle elle-même [47]. Le mot « corps »
prononcé sur le pain ne doit donc pas s'entendre indépendamment du mot « sang » prononcé sur la coupe ;
il s'agit de deux termes corrélatifs. Il n'y a pas lieu de
les additionner pour marquer le caractère entier de

---

46. La théologie de l'agneau pascal immolé se retrouve dans un
vestige de la célébration pascale judéo-chrétienne : 1 Co 5, 7b.
Un autre exemple d'adaptation à la sotériologie dominante est
présent en Jn 1, 29.36. « Le Pur de Dieu qui ôte les péchés du
peuple » y est devenu « l'Agneau de Dieu qui ôte les péchés du
monde ». Cette correction serait l'œuvre du rédacteur ; cf. J. SCHMITT,
« Le milieu baptiste de Jean le Précurseur », *Revue des Sciences
religieuses* 176-178, 1973, p. 395 et note 9.

47. On trouve l'ensemble *kreas-haima* dans la traduction septuagintale de Gn 9, 4 ; Lv 6, 20 ; Nb 18, 17-18 et Dt 12, 27 ;
sarx-haima dans Lv 17, 11-14.

l'offrande, ni, à plus forte raison, de les opposer, comme si leur séparation indiquait le caractère sacrificiel du don. Les deux vocables sont rigoureusement parallèles et chacun traduit l'humanité plénière de Jésus et, par conséquent, la plénitude du don messianique. La juxtaposition, commandée par la double situation de la Passion imminente et de l'ultime repas, confère relief et solennité à l'affirmation et à l'accomplissement du don sacrificiel. Au regard de l'exégèse, le caractère sacrificiel est encore marqué par le participe *ekchunnomenon* [48], la référence essentielle à Ex 24, 3-8.11 sur le « sacrifice de l'Alliance » et la référence formelle à Is 52-53 sur la souffrance de l'Ebed pour les « nombreux ».

Ex 24 raconte la conclusion de la première Alliance entre Yahvé et Israël. Moïse a porté les ordonnances de Yahvé à la connaissance du peuple qui les ratifie. Le traité est consigné sur douze stèles, une par tribu, et scellé par un sacrifice. Moïse prend la moitié du sang des taureaux immolés et le met dans des bassins ; avec l'autre moitié, il asperge l'autel. Il lit les clauses du traité au peuple qui répond : « Tout ce qu'a dit Yahvé, nous le ferons et nous l'écouterons. » Moïse prend alors le reste du sang et en asperge le peuple en disant : « Voici le sang de l'Alliance *(idou to haima tês diathêkês)* que Yahvé a conclue avec vous d'après toutes ces paroles. » Après cela, Moïse monte sur la montagne avec les anciens d'Israël qui mangent et boivent avec Yahvé (v. 11). Ce verset est particulièrement important. Il rapporte que Moïse et ses compagnons ont gravi la montagne sacrée et ont vu Yahvé. Or, il y a un tel abîme entre la sainteté de Yahvé et la pauvreté humaine que, normalement, sa vision entraîne la mort (Ex 33, 20).

---

48. Le participe traduit le *niphal* du verbe *shâphak*. L'expression « répandre le sang » *(ekchein haima)* se lit en Ex 29, 12 ; Lv 4, 7.18.25.30.34 ; 8, 15 ; 9, 9 ; 17, 4.13. Voir aussi « le sang répandu des prophètes », en Lc 11, 50.

Par grâce, les compagnons de Moïse ont pu contempler leur Dieu, une fois l'Alliance conclue, et prendre part au repas sacré qui suit habituellement la conclusion d'un traité. Yahvé n'a pas étendu la main sur eux. L'Alliance exodiale avait une valeur salvifique.

Le sang de l'Alliance nouvelle sera versé pour les « nombreux ». L'inclusif *polloi,* déjà présent dans le logion sur la rançon, est une référence à Is 53. Par ailleurs, l'idée d'une croissance du Reste messianique est développée dans le TgIs 53, 2 et 10 [49] ; quant au v. 11, il évoque l'idée d'un grand nombre que le Serviteur-Messie justifiera et ramènera sous le joug de la Loi en intercédant pour eux. Les temps messianiques seront les temps d'une Alliance nouvelle (Jr 31, 31-34).

Que représentaient les *polloi* dans la pensée de Jésus ? Son horizon se limitait-il à Israël ou a-t-il pensé aux non-Juifs ? Il est certain que Jésus a protesté contre tout particularisme. Son origine l'avait ouvert au monde païen. Il avait vécu en Galilée, province caractérisée par une large pénétration hellénistique. Des villes comme Capharnaüm et Sepporis, à quelques kilomètres de Nazareth, étaient largement hellénisées ; la population de Tibériade était en majorité grecque. L'environnement aussi était essentiellement païen : du côté transjordanien, Gadara ; vers le nord, Ptolémaïs, Tyr et Sidon ; vers la Samarie, Scytopolis. En outre, et ce n'est pas le moins important, la Samarie hétérodoxe séparait la Galilée de la Judée. Les autorités hiérosolymitaines

---

49. TgIs 53, 2 :

Les justes grandiront devant lui :
les voici comme des surgeons qui poussent,
comme un arbre qui allonge ses racines vers l'eau ;
ainsi se multipliera en Palestine la sainte race qui avait besoin de lui.

et 53, 10 :

... Ils auront des fils et des filles en grand nombre.

tenaient les gens de Galilée en suspicion ; n'assistait-on pas au développement d'un syncrétisme religieux en Samarie et dans la vallée du Jourdain ! Jésus a grandi à Nazareth, à côté de Sepporis. S'il parlait l'araméen avec l'accent du « pays », il a aussi entendu parler le grec de la *koinê* et, surtout, il a appris à connaître l'homme grec. Ses premiers auditoires étaient composés de Juifs et de Grecs. S'il est vrai qu'il a limité son activité à Israël et interdit à ses disciples d'aller de son vivant chez les païens [50], il est tout aussi vrai qu'il a toujours accordé aux païens les guérisons demandées avec foi [51]. Les Samaritains ont même eu l'honneur d'une parabole ; pour illustrer le commandement de l'amour, Jésus a préféré le voisin détesté au prêtre et au lévite.

Jésus a promis expressément aux païens la participation au Règne. C'est ce qui ressort du logion de Mt 8, 11.12 (= Lc 13, 29.28) :

> Or, je vous dis que beaucoup viendront du levant et du couchant et s'assiéront à table avec Abraham et Isaac et Jacob dans le royaume des Cieux,
> mais les fils du royaume seront jetés dans les ténèbres extérieures.
> Là sera le pleur et le grincement de dents.

Matthieu et Luc proposent la parole dans des contextes différents, mais également rédactionnels. Mt l'insère dans le récit de la guérison du fils du centurion, un contexte qui convient au thème du pèlerinage des peuples ; le chapitre 13 de Lc développe l'idée du rejet d'Israël au profit des Gentils. Le logion a vraisemblablement connu une existence indépendante avant d'être

---

50. Cf. J. Jeremias, *Jésus chez les païens*, Neuchâtel-Paris, 1956.
51. Cf. Mc 7, 24-30 ; Mt 8, 5-13.

repris dans la source Q. Le style et la langue sont sémi-
tisants [52] ; le contenu idéel est issu d'un monde de
représentations typiquement juives. D'une part, la béatitude eschatologique est conçue comme la participation à un festin [53] ; d'autre part, en accord avec la
pensée du réformisme juif, les rejetés sont les témoins
oculaires de la montée des justes vers le Père [54]. S'il
n'y a aucune preuve contraignante qui permette d'affirmer que le thème des *polloi* se trouve dans Mt 8, 11-12
et par., les aramaïsmes nombreux du passage, son
contenu théologique et la situation historique de Jésus
concourent à rendre sa présence vraisemblable. Si la
version matthéenne répond à une situation ecclésiale
(l'afflux des païens dans l'Eglise naissante), le logion
lucanien correspond à la situation du Jésus historique
dans la dernière phase de son ministère.

En relation avec le pèlerinage eschatologique des
peuples, Jn 12, 20-36 lie l'imminence de l'heure eschatologique (v. 23) à la démarche des païens auprès de
Jésus (vv. 20-22). Le v. 23 réunit deux thèmes majeurs
de la théologie johannique : le thème de l'heure et
celui de la gloire. Déterminé par l'article défini ou le
possessif, le substantif *hôra* désigne l'heure du retour

52. Cf. J. JEREMIAS, *op. cit.*, pp. 49-50.

53. Cf. Gn 3, 22 ; Is 25, 6-8a ; Hén. éth. 62, 14 ; Bar. syr. 29, 8 ;
Pirqê Abôt 3, 16 ; Mt 8, 11 et par. ; Lc 22, 29-30a et Ap 19,
9a ; 22, 17.

54. Bar. syr. 51, 5-6 :

> Lors donc qu'ils verront élevés et glorifiés au-dessus d'eux
> ceux que, maintenant, ils regardent de haut, et que les uns
> et les autres seront transformés, les uns en splendeur angé-
> lique, eux-mêmes en apparitions terribles et en visions spec-
> trales, ils s'en iront défaits. Ils auront d'abord ce spectacle ;
> puis, ils s'en iront au supplice.

Cf. 4 Esd 7, 37-38.85 ; Midr. Ps. 23, § 7 (101b).
En Lc 16, 23 :

> et, dans l'Hadès, se trouvant dans les tourments, il lève les
> yeux et voit Abraham de loin, et Lazare en son sein.

de Jésus auprès du Père. Pour le Père, l'heure est venue de « glorifier » Jésus. Dans l'Ancien Testament, le terme *kâbôd* traduit la manifestation visible de la majesté divine dans des actes de puissance. Jésus, Parole incarnée de Dieu, est la plénitude de la gloire divine (1, 14) et manifeste pleinement la puissance à travers des signes miraculeux (2, 11 ; 11, 41), parmi lesquels figure par excellence la résurrection ; l' « heure » est le moment de la glorification eschatologique (12, 23.28 ; 13, 32 ; 17, 1.5). Les vv. 24-30 expliquent que l' « heure » passe par la passion et la mort et l'ensemble 20-30 forme une relecture johannique associant la démarche des prosélytes au thème de l'heure eschatologique. Pour le quatrième évangéliste, Jésus a pris conscience de l'imminence de l' « heure » au moment du pèlerinage des Gentils. Toutefois, la relecture n'exclut pas *a priori* une base historique à la démarche des païens pas plus qu'à l'accueil que Jésus leur réserve.

L'attitude de Jésus est celle des rabbins palestiniens. Les nations païennes ne furent pas l'objet d'une mission, mais furent appelées à se rassembler sur la montagne sacrée de Sion. La littérature rabbinique était très divisée sur la question du sort final des étrangers. R. Hillel, qui fit école après la naissance de Jésus, se montrait très accueillant aux Prosélytes [55]. Cette attitude libérale se retrouve chez R. Josué b. Ḥananya et

---

55. b. Shab. 31 a :

Un païen vint devant Shammaï et lui dit :
Fais de moi un prosélyte, si tu peux m'apprendre toute la Loi pendant que je me tiens sur une jambe.
Shammaï le chassa avec un bâton qu'il tenait à la main.
Il vint alors chez Hillel qui le reçut comme prosélyte.
Hillel lui avait dit :
Ce que tu n'aimes pas qu'on te fasse, ne le fais pas non plus.
C'est là toute la Loi ; le reste n'est que commentaire.
Va et apprends.

chez deux élèves d'Aqiba, dont le grand Meïr qui
enseignait que le non-Juif observant la Loi est semblable
au grand prêtre [56]. Le prosélytisme fut surtout l'œuvre
de la Diaspora ; il débuta avec la période post-exilique
pour atteindre son apogée à l'époque de Jésus. L'activité missionnaire a influencé l'exégèse rabbinique ; elle
a transformé en prosélytes tous les païens entrés en
contact avec le judaïsme [57]. Quant aux pseudépigraphes,
ils sont très partagés sur la question de l'universalité
du salut. L'idée de la résurrection universelle ne s'im-
posa que tardivement et n'apparaît qu'avec les Psaumes
de Salomon. Les passages les plus anciens de l'Hénoch
éthiopien réservent le salut aux justes [58] ; des textes
plus récents le limitent au seul Israël [59]. Toutefois,
Hén. éth., Bar. syr. et TestBenj. [60] connaissent le thème
du pèlerinage eschatologique des nations. A Qumrân,
un passage du Document de Damas fait peut-être allusion à l'admission des païens dans la secte. Alors que

---

56. Cf. T. Sanh. 13, 2 (434) ; T. Berak. 6, 2 (14) ; S. Lv. 18, 5
(338b).

57. 1 Tg J. sur Gn 38, 2 :

Juda vit là la fille d'un marchand appelé Shu'a ; il en fit
une prosélyte et alla vers elle.

Mek. Ex. 18, 1 (64b) :

La courtisane Rahab avait dix ans lorsque les Israélites
sortirent d'Egypte et, pendant les quarante années qu'Israël
passa dans le désert, elle se prostitua. C'est après cinquante
ans qu'elle est devenue prosélyte.

Midr. Qoh. 8, 10 :

Des justes sont allés chez les prosélytes : Joseph chez
Asenath ; Josué chez Rahab ; Booz chez Ruth et Moïse chez
Ḥabab.

Mek. Ex. 22, 20 (101a) :

Abraham s'est lui-même appelé prosélyte, lorsqu'il a dit :
Je suis venu chez vous comme un prosélyte et un hôte.

58. Par ex., Hén. éth. 22, 13.

59. Hén. éth. 90, 33 ; 91, 10 ; 92, 3 ; 100, 5... Dans les Paraboles : 61, 5 ; 51, 1 est discuté.

60. Hén. éth. 48, 5 et 90, 33 ; Bar. syr. 68, 5 et TestBenj. 9, 2.

la Règle de la Communauté ne nomme que les prêtres, les anciens et le reste du peuple, CD 14, 3-6 ordonne de recenser les prêtres, les lévites, les enfants d'Israël et les étrangers.

Malgré leur caractère interprétatif, les formules eucharistiques ne relèvent ni de l'expression symbolique ni du style prophétique. Elles sont affirmation efficiente du fait salvifique et célébration cultuelle de l'événement. Le genre littéraire de la « bénédiction » implique le réalisme ; les formules eucharistiques, qui en dépendent, impliquent le réalisme de l'Eucharistie. La *berâkâh* peut être individuelle ou collective. La « bénédiction » individuelle comporte toujours deux éléments : une exclamation (en fait, la « bénédiction » proprement dite) et le motif de la bénédiction introduit par une relative [61]. Très tôt, le culte attira à lui l'antique bénédiction, ce qui contribua à développer le motif qui offrait plus de potentialités cultuelles que l'exclamation. Dès que la *berâkâh* se détacha de toute circonstance particulière pour entrer dans les cycles de récurrence régulière du culte, son motif est devenu du même coup susceptible d'accueillir les *mirabilia Dei*, dont la tradition gardait le souvenir. La simple action de grâce des « bénédictions » individuelles devenait anamnèse, commémoration cultuelle d'événements passés dans le but de les réactualiser. En effet, l'évocation ne consistait pas à s'attarder en esprit auprès d'une réalité passée ou absente, ni à se perdre dans le passé. Celui qui « fait mémoire » de l'œuvre salvifique de Dieu est lui-même l'objet de cette œuvre, à quelque

---

61. Par ex., Gn 24, 26-27 :

L'homme se prosterna et adora Yahvé ; il dit :
Béni soit Yahvé *(bârûk YHWH)*, Dieu de mon maître Abraham, qui *(âsher ;* LXX : *hos)* n'a pas ménagé sa bienveillance et sa bonté à mon maître.

génération qu'il appartienne. La tradition évangélique n'a retenu, en propres termes, qu'une seule « bénédiction » ; elle se lit en Mt 11, 25-26 (= Lc 10, 21).
Le logion ne reproduit pas une parole de Jésus, mais
contient des « grains » qui remontent au Jésus de l'histoire. On y retrouve les deux composantes littéraires
de la *berâkâh* : l'exclamation et le motif qui relève
des « merveilles de Dieu » telles que Jésus les voit
s'accomplir, à travers son action, dans la proclamation
du Royaume.

A propos de l'Eucharistie, on peut se demander quelle
« bénédiction » Jésus a prononcée sur le pain et la
coupe. J.-P. Audet [62] a supposé que, selon les lois du
genre et l'exemple de Mt 11, 25-26, la proclamation
avait été une anamnèse « évangélique », une ultime
et plénière profession des merveilles que Dieu avait
accomplies en Jésus tout au long du déroulement du
ministère et, plus spécialement, de la merveille par
excellence qui était sur le point de le couronner, celle
de la mort déjà dépassée à travers l'espérance et la
certitude de la gloire de la résurrection. En outre, la
rémission des péchés, grâce au corps livré et au sang
versé, était elle-même motif de louange.

L'Eucharistie est célébration cultuelle du fait salvifique. En « consommant » la chair et le sang du Christ,
les disciples ont fait leur le don sacrificiel de Jésus.
De même que les compagnons de Moïse ont pu parta-
ger le sacrifice de communion en présence de Yahvé,
sans en mourir, les chrétiens s'approprient les effets
rédempteurs du don messianique et accèdent à la
Communauté eschatologique des « nombreux », laquelle
est ainsi instituée. La communauté de table a un sens
religieux qui découle du rite même du partage du pain.

---

62. Esquisse historique du genre littéraire de la « bénédiction »
juive et de l' « eucharistie » chrétienne, RB 65, 1958, pp. 371-389.

Lorsque le père de famille prononce la bénédiction, rompt le pain et donne un morceau à manger à chaque convive, le sens de cet acte est que chacun des invités prend part à la bénédiction, moyennant le repas. L'Amen commun et la manducation du pain, également commune, fait entrer chaque participant dans la communauté. Or, Jésus a prononcé des paroles qui assimilaient le pain rompu et le sang versé à sa mort rédemptrice pour la multitude. La communauté de table était et est communauté de vie.

Le repas eucharistique est l'acte par lequel la Communauté eschatologique est fondée ; le don sacrificiel et l'acte de « communion » ne sont que les deux aspects complémentaires d'une même réalité eschatologique, à savoir la fondation de l'Eglise.

Au Sinaï, Yahvé a conclu une Alliance avec Israël par l'intermédiaire de Moïse. Le peuple en a accepté les clauses et un repas de communion a scellé le pacte. L'Alliance élevait Israël à l'état de communauté théocratique. Cette première alliance peut être appelée « Alliance exodiale » et la communauté, qui en est issue, est la Communauté du peuple de l'Exode.

Lors du repas eucharistique, Jésus a conclu une nouvelle Alliance qui actualise, confirme et dépasse l'Alliance exodiale. Elle n'a plus été scellée dans « le sang des boucs et des jeunes taureaux, mais avec le propre sang du Christ » (He 9, 12). De plus, c'est une Alliance éternelle (9, 26) et, alors que l'enseignement rabbinique acceptait des moyens d'expiation pour tous les péchés et pour tous les pécheurs, sauf pour les « nations » [63], Jésus a désigné sa mort comme une substitution pour tous les pécheurs. Le résultat immédiat de cette Alliance fut la fondation d'une nouvelle Communauté, le *qâhâl* eschatologique, l'assemblée des derniers

---

63. Cf. Mek. Ex. 21, 30.

temps. L'héritier du mouvement baptiste a fondé son Eglise. Parce qu'en communiant à l'Alliance eschatologique proposée par Jésus lors du repas d'adieu, les Douze ont ratifié l'Alliance, Jésus a pu sauver son projet *in extremis*.

Selon la tradition biblique, l'Alliance exodiale avait une valeur salvifique ; Moïse et ses compagnons n'étaient pas morts malgré la vision de Yahvé. Deux faits permettent de confirmer la valeur rédemptrice du banquet eucharistique. Le premier est la communauté de table réalisée par Jésus, durant son ministère, avec tous ceux qu'Israël rejetait comme pécheurs publics (Mc 2, 15-17). La présence des pécheurs à la table de Jésus signifie offre de salut et de pardon. Les Douze du repas eucharistique sont aussi les délégués des « pauvres » au banquet messianique. Le second fait montre que l'annonce du repas eschatologique n'est pas rendue caduque par la passion de Jésus. Après sa résurrection, Jésus a pris un repas avec des disciples sur la route d'Emmaüs. La pointe du récit est fournie par Lc 24, 30 écrit dans la langue du repas eucharistique : Jésus prit le pain, dit la bénédiction, le rompit et le donna aux disciples. Ceux-ci ont pu l'abandonner et le renier, Jésus n'en a pas moins partagé sa table avec eux après la Résurrection ; c'était un signe sûr de leur pardon. Ni la Passion ni l'abandon des disciples n'ont pu rompre l'Alliance nouvelle et définitive.

CHAPITRE IV

L'ANNONCE

Césarée-de-Philippe, aux sources du Jourdain. L'eau jaillit du rocher ; le soleil irise l'impétueuse cascade ; le sein de la terre gronde. Combat de la Vie et de la Mort ! Les Juifs y localisent les sources de l'Hadès. Mais la Vie est la plus forte et le fleuve se lance à la conquête du sol et déploie ses longs méandres. Combat des forces du Bien et du Mal !

Interrogeant ses disciples, Jésus leur demanda :
Et vous, qui dites-vous que je suis ?
Prenant la parole, Simon-Pierre répondit :
Tu es le Christ, le Fils du Dieu vivant.
Reprenant alors la parole, Jésus lui déclara :
Heureux es-tu, Simon, fils de Jonas,
car ce n'est ni la chair ni le sang qui t'ont révélé cela,
mais mon Père qui est aux cieux....
A partir de ce moment,
Jésus-Christ commença à montrer à ses disciples
qu'il lui fallait s'en aller à Jérusalem,
souffrir beaucoup de la part des anciens, des grands prêtres et des scribes,
être mis à mort
et, le troisième jour, ressusciter (Mt 16).

Pas plus que leurs contemporains, les disciples n'étaient prêts à entendre du Messie qu'il devait souffrir et mourir. Solennellement, Jésus commença ici à révéler le mystère du Fils de l'Homme souffrant ; trois annonces de la Passion scandent sa montée à Jérusalem.

§ 9. L'ANNONCE DE LA PASSION [1]

Disséminées un peu partout dans les textes évangéliques, les annonces de la Passion se regroupent en trois sommaires majeurs, tous situés après la Confession de Pierre à Césarée-de-Philippe. Le premier se lit entre le récit de la Confession et celui de la Transfiguration (Mc 8, 31 et par.), le deuxième, après la péricope de la Transfiguration (Mc 9, 31 et par.), et le troisième, avant le récit de l'entrée triomphale à Jérusalem (Mc 10, 33-34 et par.). Ces trois sommaires sont loin d'épuiser la somme des avertissements que Jésus a multipliés à l'égard des siens et sur lesquels il nous faudra revenir. La question d'une strate primitive s'est rapidement posée. Peut-on la reconstituer à partir des logia synoptiques ? Les études consacrées aux sommaires des annonces sont nombreuses et il est possible aujourd'hui de reconnaître les lignes de force qui se dégagent des analyses proposées.

1. Les annonces majeures de la Passion ont été rédigées sur le modèle de l'antithèse passion-résurrection ; dans les trois sommaires, le dernier *kai* est toujours antithétique. L'ordre correspond en fait à celui des formules kérygmatiques dites « de type bref » [2]. La seule exception se lit en Lc 9, 44, la version lucanienne de la deuxième annonce.

---

1. Cf. M. BASTIN, « L'annonce de la Passion et les critères de l'historicité », *Revue des Sciences religieuses,* à paraître en juillet 1976.

2. On distingue habituellement trois types de formules kérygmatiques : la formule de type bref qui comporte le sujet et les deux verbes antithétiques de la passion et de la résurrection (1 Th 4,

2. La deuxième annonce est centrale. Marquée par le verbe *apokteinein,* elle reproduit le thème de la mise à mort de la première et de la troisième annonce ; d'autre part, avec le verbe *paradidonai,* elle introduit une réflexion sur la *traditio* du juste, sur laquelle s'ouvre aussi la troisième annonce.

3. En Lc 9, 44, la deuxième annonce se lit dans une forme brève.

4. L'analyse comparée des trois sommaires révèle que le vocabulaire et les thèmes doctrinaux des textes deviennent de plus en plus conformes à la langue de la Communauté apostolique et, en particulier, au récit de la Passion. Cette remarque vaut surtout pour le troisième groupe d'annonces qui sont les plus développées et les plus voisines du récit de la Passion, et cela tant par l'abondance des détails concernant les événements de la fin de Jésus que par la similitude du vocabulaire de plus en plus riche.

Cette quadruple constatation doit commander notre démarche qui sera double. En premier lieu, il faudra, comme pour le logion sur la rançon, restituer la forme primitive de l'annonce, c'est-à-dire la forme la plus ancienne que l'on puisse atteindre et à partir de laquelle le processus de développement s'est ramifié. Dans un second temps, il faudra vérifier si la forme, ainsi restituée, répond effectivement à ce que nous savons du

---

14 : « nous croyons que Jésus est mort ET est ressuscité ») ; la formule de type moyen qui ajoute la clause de la Passion rédemptrice (*huper :* 1 Th 5, 9-10 ; Ga 2, 19-21 ; 2 Co 5, 14-15 ; Rm 4, 25 et 1 P 3, 18), mais pas celle de la Résurrection (sauf Rm 4, 25) ; la formule de type long (1 Co 15, 3b-5 ; Rm 6, 2-11 et Col 2, 6-15) qui se caractérise par la tendance à l'énumération des faits majeurs de la Passion et de la Résurrection (passion-sépulture-résurrection), la tendance à l'insertion de différentes clauses dans l'énoncé même du kérygme (« troisième jour » — *ek tôn nekrôn*).

Jésus de l'histoire. La première démarche demandera l'analyse minutieuse de la structure, des formes littéraires et du vocabulaire des textes des annonces, qui seront soigneusement comparés aux contextes apostoliques parallèles, celui de la passion du prophète ou de l'apôtre, témoins de Dieu, celui du kérygme et de la parénèse formée à partir du kérygme, enfin celui des récits de la Passion. Sera retenue comme forme primitive de l'annonce celle qui se révélera, à l'analyse, pure de ces différents contextes. Pour établir ensuite l'historicité probable de l'annonce primitive, il faudra avoir recours à la conjonction de trois autres critères : la rétroversibilité du texte de l'annonce en araméen, l'accord de la rétroversion avec la manière de parler de Jésus et la présence de parallèles littéraires et doctrinaux remontant, de leur côté, au Jésus de l'histoire.

1. LA FORME PRIMITIVE DE L'ANNONCE

a) *La structure et les formes littéraires des textes des annonces*

La présence de la copule *kai* (*we* hébreu) liant les verbes de la passion et de la résurrection conditionne la structure antithétique des annonces majeures. Elle apparaît dans tous les fragments, sauf Lc 9, 44. Le modèle est celui des formules et des sommaires kérygmatiques et la concordance entre la rédaction des annonces et celle des formulaires kérygmatiques montre déjà à suffisance l'influence déterminante du kérygme pascal sur la tradition du logion. En ce qui concerne les formes littéraires, il faut attirer l'attention sur la présence du passif théologique dans les divers membres de tous les textes [3]. Le passif indique que les événements rapportés par les verbes sont inéluctables, non par le fait d'une fatalité aveugle, mais parce que Dieu en a décidé ainsi. Il souligne ici le dessein mystérieux de Dieu et l'obéissance de Jésus. Rare dans la littérature rabbinique, le passif théologique est fréquent dans les apocalypses, surtout à partir de Daniel. Habituellement, Jésus dépasse d'ailleurs le simple énoncé apocalyptique pour étendre l'emploi du passif à l'intervention divine dans le présent ; il actualise ainsi le style apocalyptique. Il n'en est pas moins suggestif qu'il se rattache à ce style particulier [4].

b) *Le vocabulaire des annonces*

1. L'influence du *kérygme* s'est exercée sur le vocabulaire des sommaires, particulièrement du premier. Ainsi, le verbe *pathein* qui ne s'observe que dans le premier groupe d'annonces (Mc 8, 31 par.) et en Mt 17, 12b ; Mc 9, 12b ; Lc 17, 25 et 22, 15, apparaît fréquemment dans les formules kérygmatiques « de type long » [5]. L'analyse de Mc 9, 13 [6] a montré que le grec *pathein* n'a aucun équivalent araméen et se serait introduit dans le christianisme primitif à la faveur de la similitude des termes grecs *pascha-paschein,* lorsque la passion du Christ fut assimilée à l'immolation de l'agneau pascal. Il doit donc être tenu pour une expression stéréotypée de la Communauté postérieure ; comme le jeu de mots *pascha-paschein* n'a de sens qu'en grec,

---

3. Dans le premier sommaire : *apoktanthênai* (être mis à mort) et le couple *anastênai — egerthênai ;* dans le deuxième : *apoktantheis, paradidosthai* (être livré) et encore *anastênai-egerthênai ;* enfin, dans le troisième : *paradothêsethai ;* les verbes descriptifs de la Passion chez Mt et Lc et toujours le couple *anastênai-egerthênai.*
4. Cf. J. JEREMIAS, *Théologie du Nouveau Testament,* I, Lectio divina 76, Paris, 1973, pp. 16-22.
5. Lc 24, 26.46 ; Ac 3, 18.
6. Cf. p. 76.

on attribue une origine hellénistique aux annonces du type *paschein*.

Le kérygme a également assimilé le verbe *apodokimasthênai* qui se lit dans deux annonces du premier groupe (Mc 8, 31 et Lc 9, 22) et en Lc 17, 25. Il se rencontre aussi dans une addition au noyau primitif de la parabole des Vignerons homicides (Mc 12, 10-11 par.), tirée de la version grecque du Ps 118, 22. Le sens du vocable *oidokomountes* dans la littérature talmudique [7] permet de comprendre pourquoi Mc et Lc ont lié le verbe *apodokimasthênai* à la triade « grands prêtres, anciens et scribes ».

Le message pascal a exercé une influence déterminante sur la mention de la Résurrection dans les annonces de la Passion. Le sens fondamental du verbe *anistanai* est « dresser, redresser ». Sous l'influence de l'usage paléo-testamentaire du verbe *qûm,* il a pris des significations particulières ; il pallie notamment l'absence, dans les langues sémitiques, d'une tournure passive courante pour désigner la sortie du tombeau. Mc l'emploie dans ses trois sommaires (8, 31 ; 9, 31 et 10, 34), de même que Lc 18, 33, la version lucanienne de la troisième annonce. Le verbe appartient essentiellement au vocabulaire du kérygme et se lit dans les formules « de type bref » [8]. Le verbe *egeirô* signifie « éveiller, réveiller » et traduit l'hébreu *qîs.* Employé aussi pour rendre la notion de résurrection, il la compare à un réveil. Il entre dans le vocabulaire des formules de foi « de type moyen et long », de même que dans le kérygme aux femmes [9]. Dans les annonces de la Passion, Mt le préfère à *anistêmi*.

---

7. Cf. pp. 73-74. C'était la porte ouverte à la polémique.
8. Notamment 1 Th 4, 14. Aussi Ac 2, 24.32 ; 13, 33.
9. 1 Co 15, 4 ; 2 Co 5, 15 ; Rm 4, 25 ; 6, 4.9 ; 8, 11 ; 10, 9 ; Col 2, 12 ; Ac 3, 15 et 4, 10 ; 5, 30 ; 10, 40 et 13, 30.
Kérygme aux femmes : Mc 16, 6 ; Mt 28, 6.7 ; Lc 24, 6.

Lorsqu'ils figurent dans les annonces, les deux verbes de la résurrection sont toujours accompagnés de la mention du « troisième jour ». La clause constitue un trait chronologique valorisé par un donné scripturaire. L'événement de la Résurrection est d'abord un fait. Ensuite, on a voulu dater l'expérience pascale, c'est-à-dire le moment où la circonstance du tombeau vide s'est imposée à la conscience des disciples. Par ailleurs, la clause du troisième jour apparaît toujours dans des contextes où domine l'idée d'accomplissement des prophéties. Elle est plus qu'une simple indication chronologique ; elle est un indice qui ne prend toute sa valeur que lorsque le fait pascal est confronté avec les Ecritures. On se rallie aujourd'hui au texte d'Osée 6, 2 [10] :

> Après deux jours, il nous rendra la vie,
> le troisième jour, il nous relèvera
> et nous vivrons en sa présence.

La paraphrase targumique comprend « le troisième jour » comme le jour de la fin des temps, celui où tous les morts reviendront à la vie :

> Il nous fera revivre au jour des consolations qui doivent venir ;
> au jour où il fera vivre les morts, il nous ressuscitera
> et nous vivrons en sa présence.

Le verbe se rencontre encore dans quelques passages rédactionnels des récits de la Passion : Mc 14, 28 = Mt 26, 32 ; Mt 27, 63.64.

10. J. DUPONT, « Ressuscité « le troisième jour » (1 Cor., 15, 4 ; Ac., 10, 40) », *Etudes sur les Actes des Apôtres*, Paris, pp. 332 ss ; C.H. DODD, *The Parables in the Kingdom*[4], Londres, 1935, pp. 99-100 ; K. LEHMANN, « Auferweckt am dritten Tag nach der Schrift », *Quaestiones disputatae*, Fribourg-Bâle-Vienne, 1968, p. 264 ; M. BLACK, « The « Son of Man » Passion Sayings in the Gospel Tradition », ZNW 60, 1969, pp. 1-8 ; J. JEREMIAS, « Die Drei-Tage-Worte der Evangelien », *Tradition und Glaube. Das frühe Christentum in seiner Umwelt*, Gœttingue, 1971, pp. 221-229.

Il a déjà été indiqué comment comprendre la formule « le troisième jour » [11] ; elle se traduit par « bientôt, sous peu ». Mais il faut évidemment tenir compte des éclairages divers que la Communauté apostolique a pu lui donner sous l'emprise des faits. Lorsque Mt et Lc ont transformé le *meta treis hêmeras* de Mc en *têi tritêi hêmerai*, ils ont apporté une précision *ex eventu* et concilié la donnée chronologique avec celles que supposait la découverte du tombeau vide.

J. Jeremias [12] a supposé que les annonces de la Passion étaient composées de deux membres primitivement isolés et réunis ensuite par le *kai* adversatif, le premier concernant l'événement de la Passion, le second celui de la Résurrection. Le membre isolé de la Résurrection se comprenait dans un sens purement eschatologique. Mais cette forme n'a pu se maintenir que durant la période pré-pascale ; elle était destinée à être relue par la Communauté primitive à la lumière du fait du tombeau vide. On peut d'ailleurs se demander s'il faut postuler une annonce *explicite* de la Résurrection durant la période pré-pascale ? En effet, la seule référence au Fils de l'Homme de Daniel 7 englobait l'idée d'exaltation et celle-ci, nous l'avons vu [13], comporte deux aspects, le passage de la condition terrestre à la condition céleste (= résurrection) et l'investiture dans la fonction eschatologique. On peut dès lors postuler que, si Jésus a annoncé sa passion dans des traits empruntés à l'apocalyptique daniélique, il a, par le fait même, suggéré sa résurrection.

---

11. Cf. p. 78. — 12. Cf. art. cité, p. 228.

13. Cf. pp. 29-30 et 32. En plus des réflexions de A. STROBEL, *Kerygma und Apokalyptik*, Gœttingue, 1967, pp. 64-71, on lira avec profit B. RIGAUX, *Dieu l'a ressuscité, Exégèse et Théologie biblique*, Paris-Gembloux, 1973, pp. 357-364, surtout p. 362. Cf. aussi les notes que J. SCHMITT a consacrées au livre de X. LÉON-DUFOUR (*Résurrection de Jésus et message pascal*, Paris, 1971), « Les formules primitives du kérygme pascal », Bib 54, 1973, p. 277.

2. L'influence du *vocabulaire caractéristique de la passion du témoin* est surtout sensible dans l'emploi du verbe *apokthênai* figurant dans la plupart des sommaires. Dans les annonces du premier groupe, il est toujours conjugué à la voix passive *(apoktanthênai)* ; il se rencontre une fois à l'actif *(apoktenousin)* dans le troisième groupe et, dans les annonces du deuxième sommaire, il apparaît trois fois, deux fois en Mc 9, 31, dont l'une à l'actif *(apoktenousin)* et l'autre au passif *(apoktantheis)*, et une fois à l'actif dans le parallèle matthéen. Le verbe n'appartient ni au vocabulaire du kérygme ni à celui des récits de la Passion. Ses multiples emplois dans la parabole des Vignerons homicides l'ont fait ranger parmi les vocables spécifiques du contexte de la *passio martyris* [14].

Il convient de s'arrêter au deuxième sommaire d'annonces. Nous venons d'y relever un double emploi du verbe *apokteinô,* l'un au passif, l'autre à l'actif. Il faut aussi rappeler que la seconde annonce est centrale en raison de la confluence des thèmes de la mise à mort et de la *traditio*. Mc 9, 31 se présente ainsi :

a. *hoti ho huios tou anthropou*
   paradidotai eis cheiras anthrôpôn

b. *kai apoktenousin*
   kai apoktantheis

c. *meta treis hêmeras anastêsetai.*

Paradidotai est un passif théologique et souligne l'intervention divine ; *apoktenousin* est un actif et décrit l'action des hommes ; le participe *apoktantheis* détermine, avec le verbe *anastêsetai,* l'antithèse « mort-résur-

---

14. Cf. pp. 60 ss.

rection ». La répétition du verbe *apokteinô* et son utilisation à des voix et des modes différents révèlent une suture maladroite et signent la relecture ; elles supposent un stade antérieur, prémarcien, où *paradidômi* et *apokteinô* n'étaient pas liés. Par conséquent, il faut supposer une forme courte de Mc 9, 31 :

ho huios tou anthrôpou paradidotai eis cheiras anthrôpôn, formulation équivalente à celle du parallèle lucanien (Lc 9, 44) :

ho huios tou anthrôpou mellei paradidosthai eis cheiras anthrôpôn [15].

En résumé, l'analyse de Mc 9, 31 montre des indices d'une forme courte portant uniquement sur le thème de la *traditio* et d'une relecture, caractérisée par la frappe du vocabulaire traditionnel propre au contexte de la passion du témoin et par l'antithèse « mort-résurrection » propre au kérygme. La confluence du vocabulaire de la *passio martyris* et du kérygme, confluence unique dans l'histoire du vocabulaire chrétien, caractérise la secondarité de la lecture. Alors que la parabole des Vignerons homicides se signalait par l'authenticité de l'emploi de vocables caractéristiques de la passion du juste, comme le verbe *apokteinô,* l'analyse des annonces de la Passion révèle que ce même vocabulaire n'a pas tardé à être réemployé, de concert, avec celui du kérygme.

3. *Les récits de la Passion* n'ont laissé aucune trace dans le deuxième sommaire des annonces et n'ont marqué que d'une manière occasionnelle les textes du premier avec la triade *apo tôn presbuterôn kai tôn archiereôn kai tôn grammateôn.* En revanche, leur influence

---

15. Le futur lucanien *(mellei paradidosthai)* traduit exactement le texte araméen sous-jacent. En effet, le présent *paradidotai* de Mc renvoie à un participe araméen *mitmesar ;* or, l'araméen emploie le participe pour indiquer un futur proche.

est nette sur le troisième sommaire surtout au niveau des verbes descriptifs de la Passion. Le verbe *empaizô* se lit dans les trois Synoptiques [16] ; le verbe *hubrizô* n'apparaît qu'en Lc 18, 32 [17] et le verbe *emptuô,* en Mc 10, 34 et Lc 18, 32 [18]. Le verbe *mastigoô,* présent chez les trois Synoptiques, se rencontre dans les récits de la Passion (Jn 19, 1) et dans le contexte de la passion du témoin [19]. Le verbe *katakrinô* ne se lit que dans les récits de la Passion [20], tandis que *stauroô,* qui n'apparaît que chez Mt et en Lc 24, 7, appartient aux trois contextes apostoliques [21].

4. Le verbe *paradidomai,* caractéristique du thème de la *traditio,* se lit au passif dans les trois annonces du deuxième et du troisième sommaire [22]. Tout comme le verbe *stauroun,* il appartient aux trois contextes apostoliques. On le trouve encore dans une formule kérygmatique de type moyen, à savoir Rm 4, 25 *(ho paredothê dia ta paraptômata hêmôn),* et dans une formule liturgique comme 1 Co 11, 23 *(hoti ho kurios Iêsous en têi nukti hêi paredidoto)* [23]. Il est également présent

---

16. Dans les récits de la Passion : Mc 15, 20 par. ; 15, 31 par. ; Mt 27, 29 ; Lc 22, 63 ; 23, 11.36.
On le trouve une fois dans le contexte de la *passio martyris* (He 11, 36).
17. Dans le contexte de la passion du juste : Mt 22, 6 ; à propos de Paul : Ac 14, 5 et 1 Th 2, 2.
18. Dans les récits de la Passion : Mc 14, 65 par. ; 15, 19 par.
19. Mt 10, 17 ; 23, 34 et He 11, 36.
20. Mc 14, 64 ; Mt 27, 3.
21. Kérygme : 1 Co 1, 23 ; 2 Co 13, 4 ; Ga 3, 1 ; Ap 11, 8 ; Ac 2, 36 ; 4, 10 ; Lc 24, 20 ;
Passion du témoin : Mt 23, 34 ;
Récits de la Passion : Mc 15, 13.14.15.20.24.27 par. ; 16, 6 par. ; Mt 26, 2 ; Jn 19, 6.10.15.
22. De plus, on le trouve à l'actif en Mc 10, 33 et Mt 20, 19. La voix passive dénonce la volonté divine et l'actif traduit l'œuvre des hommes, à savoir la *traditio* de Jésus aux païens par les autorités juives.
23. Aussi Ga 2, 20 ; Rm 8, 32 ; Ep 5, 2.25 et Ac 3, 13.

dans le contexte de la passion du juste [24] et figure en bonne place dans le vocabulaire des récits de la Passion [25]. On peut qualifier ce terme de « neutre » en ce sens que, figurant dans des passages caractéristiques des trois contextes, il n'est expliqué par aucun d'entre eux. En outre, les seuls parallèles adéquats d'un emploi absolu du passif théologique se lisent dans la formule kérygmatique de Rm 4, 25 et dans la formule liturgique de 1 Co 11, 23. Toutefois, ces deux passages témoignent d'un usage en voie de disparition. Malgré son caractère prépaulinien [26], Rm 4, 25 doit par ailleurs être tenu pour secondaire par rapport à Mc 9, 31a. Preuve en est donnée par l'absence de toute notice sotériologique dans le témoin marcien. La tradition marcienne paraît donc s'être développée parallèlement et indépendamment de la tradition prépaulinienne [27]. D'autre part, le titre de Fils de l'Homme étant le seul titre christologique à être associé au verbe *paradidômi*, il faut en conclure que la *traditio* du Fils de l'Homme représente une ligne importante et caractéristique de la tradition marcienne ; il faudrait alors considérer Mc 9, 31 comme un point de départ. L'influence du quatrième chant du Serviteur souffrant paraît indéniable sur l'évolution ultérieure ; le Targ. d'Is 53, 5b s'accorde parfaitement avec Rm 4, 25 [28].

Le verbe *paradidômi* s'enracine profondément dans les traditions biblique et extra-biblique. On en a dénombré 208 attestations dans la Septante, dont 18 emplois absolus. Presque toujours, Dieu en est le sujet.

---

24. Mc 1, 14 par. ; 13, 9.11.12 par. ; Lc 20, 20.

25. Mc 14, 41 par. ; 15, 1 par. ; 15, 10 par. ; 15, 15 par. ; Mt 26, 2 ; Jn 18, 35.36 ; 19, 16.

26. Le caractère traditionnel est net : construction relative *hos ;* antithèse *paredothê-êgerthê ;* clause de la Passion rédemptrice : *dia ta paraptômata hêmôn.*

27. La grécisation de Mc 10, 45b en 1 Tm 2, 6 est plutôt en faveur d'une influence de Mc sur Paul.

28. Cf. p. 37.

Il livre les nations ennemies à Israël au cours de la guerre sainte ou encore il livre les païens ou Israël, rebelles à sa volonté. La présence de *paradidômi* a déjà été signalée [29] dans la version grecque d'Is 53, notamment au niveau du v. 12c. Le texte grec insiste sur la suppléance qu'accomplit le Serviteur : il fut livré à la place des puissants ; par ailleurs, le dessein de Dieu est rendu par l'emploi du passif théologique. La version targumique est parallèle à la Septante, si on admet le sens maximal pour le verbe *mâsar* [30]. L'idée de suppléance se vérifie encore dans les traductions grecque et araméenne d'Is 53, 6cd et 12f. La Septante comprend que le Serviteur fut livré à cause du péché des hommes et le targum, que les hommes seront pardonnés à cause du Messie. La version grecque radicalise la souffrance du Serviteur ; le texte araméen l'atténue, sans la supprimer totalement.

Dans la Synagogue, le verbe *mâsar* peut avoir le sens technique de « dénoncer ». On lit dans le Talmud babylonien :
b. Pes. 112a :

> R. Simon ben Yochai a dit à R. Aqiba :
> Si tu refuses de m'enseigner la Tôra,
> je le dirai à mon père
> et il te dénoncera *(msr)* auprès du gouvernement [31].

Il peut aussi signifier le don de soi à Dieu ou au peuple [32] ou le jugement exercé par Yahvé. Ce dernier

---

29. Cf. p. 35.
30. Cf. p. 36.
31. Les évangiles utilisent également le verbe *paradidômi* pour parler de la trahison de Judas.
32. Tanḥ. B. *ṭçwh* 1, 96 ou Mek. Ex. 12, 1 :

> Tu trouveras que partout les pères et les prophètes ont donné leur vie pour Israël *(ntnw nphshm'l yshrl)*.

Le don de soi, en effet, s'exprime par les locutions *msr nphsh ; ntn nphsh* ou *msr 'çm*.

thème s'observe aussi à Qumrân ; la *traditio* de l'impie s'y exprime notamment à l'aide du verbe *msr,* mais nulle part il n'est question de la *paradidôsis* du juste. Le pieux n'est pas livré aux persécuteurs ; tout au plus, la persécution est permise par Dieu [33].

L'idée de la souveraineté de Dieu sur le juste se retrouve dans l'Hénoch éthiopien. Elle figure dans la plupart des compilations, déjà dans la plus ancienne, l'Apocalypse des Dix Semaines, antérieure à 170 avant J.-C. [34] et encore dans la Vision des Animaux (125/100 ou 100/75 avant J.-C.) [35]. Dans le Livre des Paraboles, ce sont les rois et les puissants qui sont livrés aux mains des justes et des saints [36]. De la même époque, les Exhortations d'Hénoch offrent l'avantage d'avoir été, pour quelques chapitres, conservées en grec. On lit en 98, 12 :

> Malheur à vous qui chérissez l'iniquité !
> Pourquoi vous promettez-vous le bonheur avec de faux espoirs ?
> Maintenant, sachez que vous serez livrés aux mains des justes *(eis cheiras tôn dikaiôn paradothêsesthe)* ; ils vous tueront et n'auront pas pitié de vous.

Il faut enfin citer deux passages tirés des Testaments des XII Patriarches, datés du IIe ou du Ier siècle avant J.-C. et conservés aussi en grec. Le premier est un fragment du TestAsher (7, 2) qui nous rapporte l'oracle du patriarche sur ses descendants :

> Car je sais que vous pécherez
> et serez livrés aux mains de vos ennemis *(kai paradothêsesthe eis cheiras echthrôn humôn),*

---

33. Par ex., 1 QH 2, 23-24.
34. Hén. éth. 91, 12.
35. Hén. éth. 89, 55-56.
36. Hén. éth. 38, 5 ; 48, 9 et 63, 1.

et votre terre vous sera rendue déserte
et vos sanctuaires détruits
et vous serez dispersés aux quatre coins du monde.

Le second se lit dans TestBenj 3, 8 et est discuté. Tous les commentateurs, en effet, reconnaissent des interpolations chrétiennes dans les Testaments, mais divergent sur leur étendue et leur localisation précises. On admet généralement un original hébreu composé en Palestine, peut-être en Galilée, ou en Syrie. Le noyau daterait d'avant les Séleucides et l'écrit du IIe ou du Ier siècle avant J.-C. TestBenj 3, 8 existe dans plusieurs versions [37]. La version arménienne est heureusement exempte de nombreuses interpolations ; on y lit :

En toi s'accomplira la prophétie céleste
qui affirme que
celui qui est sans tache sera souillé *(manthêsetai)*
pour *(huper)* les criminels
et celui qui est sans péché mourra
pour les impies.

Les autres versions lisent *paradothêsetai* à la place de *manthêsetai*. Si l'on tient compte du fait que le passage rapporte l'oracle du patriarche Joseph, on peut penser que TestBenjamin reflète une attente messianique dans la descendance de Joseph ; il pourrait aussi constituer, à l'instar de Dn 12, 3, un des plus anciens témoins d'une application messianique d'Is 53 [38].

_____

37. Le fragment existe dans les deux recensions de la version grecque et dans une recension slavonique (S1).
38. Rappelons que le texte hébreu d'Is 53, 5 a un participe *poal* du verbe *hâlal (meholal)* qui a la double signification de « profaner, souiller » et de « blesser ». En outre, la version arménienne est libre d'interpolations, car la littérature chrétienne ne parle nulle part de Jésus comme descendant de Joseph, mais bien de David. Enfin, il n'est nulle part question d'une mort expiatoire de Joseph ; il faut donc bien penser à sa descendance et à un messie de la Maison de Joseph.

5. L'expression *ho huios tou anthrôpou* se trouve dans les annonces des trois sommaires, mais ne se lit, en revanche, dans aucun des contextes apostoliques parallèles, ni celui du kérygme ni celui des récits de la Passion ni celui de la passion du prophète ou de l'apôtre, témoin de Dieu. Elle doit être regardée comme primitive.

2. DE LA STRATE INITIALE AU JÉSUS DE L'HISTOIRE

L'analyse littéraire conduit à retenir, comme forme primitive de l'annonce de la Passion, la forme lucanienne du deuxième sommaire (Lc 9, 44). Elle s'énonce ainsi :

> Le Fils de l'Homme est livré entre les mains des (fils des) hommes
> *paradidotai ho huios tou anthrôpou eis cheiras anthrôpon mitmesar bar-enâshâ' bidê benê enâshâ'*

Vierge de toute influence secondaire, la strate primitive contient des traits qui paraissent irréductibles à aucun des contextes cités. En premier lieu, il faut citer la paronomase, caractéristique du style sémitique, *bar-enâshâ' — benê enâshâ'*. L'expression « Fils de l'Homme » peut s'entendre d'une catégorie ou d'un titre messianique. Si la formule est comprise au sens générique, l'annonce recouvre des troubles eschatologiques, durant lesquels « quelques-uns » seront livrés à la masse ; s'il s'agit d'un titre, le logion rejoint la tradition du Fils de l'Homme daniélique livré pour d'autres. De toutes façons, le caractère volontairement ambigu de l'annonce est bien dans la manière de parler, voilée, de Jésus. J. Jeremias [39] a classé le verset dans le genre

---

39. *Théologie du Nouveau Testament*, I, Lectio divina 76, Paris, 1973, pp. 351-352.

littéraire du *mâshâl* ; on peut le considérer comme une sentence qui puise sa substance dans l'apocalyptique juive. L'indéterminé *anthrôpôn* est archaïque ; la Communauté apostolique tendra de plus en plus à préciser les auteurs du drame de la Passion. L'étude philologique, enfin, a montré que l'emploi du verbe *paradidômi* ne s'expliquait pas par une tradition apostolique. Les seules attestations d'un passif théologique absolu se trouvent dans des formules de foi et de prière qui constituent les ultimes témoins d'un usage en voie de disparition. La tradition du logion a été marquée par une triple oblitération, celle du kérygme pascal qui fut fondamentale et vraisemblablement première, et celle du vocabulaire de la *passio martyris* et des récits évangéliques de la Passion, qui fut secondaire, mais de date et d'importance inégales.

Le judaïsme biblique a proposé deux applications parallèles, mais inégales, du thème de la *traditio*. La *traditio* des impies ou des Israélites infidèles est représentée par un grand nombre de témoins, livres historiques et prophétiques. En revanche, les attestations d'une *traditio* du juste ou du prophète sont beaucoup plus rares. En dehors des Psaumes, il n'existe que deux témoins majeurs : la souffrance expiatoire du Serviteur d'Is 53 et la persécution du Fils de l'Homme de Dn 7. En reprenant à l'apocalyptique juive le thème de la *traditio* du Fils de l'Homme, Jésus a fait un usage, somme toute original, du verbe *paradidômi* pour traduire ses rapports avec Dieu ; le *paradidotai* de Lc 9, 44 exprime l'acte par lequel Dieu dispose souverainement du Fils de l'Homme en vue du Salut. Cette originalité dans l'usage du vocabulaire en garantit évidemment l'authenticité [40].

---

40. On notera avec intérêt que, dans l' « hymne de jubilation » (Mt 11, 27 = Lc 10, 22), *paredothê* traduit l'acte par lequel Dieu dispose souverainement de « tout » pour le Fils.

Au total, on compte 51 logia sur le Fils de l'Homme dans les évangiles. Ces logia se sont transmis sous deux formes [41] : quatorze dans la forme du « Fils de l'Homme » uniquement et trente-sept avec une tradition concurrente où l'expression « Fils de l'Homme » est généralement remplacée par un *egô*. Très souvent, le titre est secondaire ; la tradition a montré une préférence pour l'antique titulature et l'a introduite dans des logia de Jésus, dans des imitations ou des paroles de formation plus récente [42]. Au contraire, aucun texte ne témoigne de la suppression de la formule. Aussi, partout où se décèle une quelconque concurrence entre le simple *egô* et le solennel *ho huios tou anthrôpou*, il faut donner la préférence au simple *egô*. Il reste dès lors onze logia transmis avec la titulature, sans concurrence et sans qu'on puisse retenir la possibilité d'une méprise [43].

Les énoncés retenus remontent-ils au Jésus de l'histoire ou faut-il les attribuer, eux aussi, à l'activité créatrice de la Communauté ? Il faut d'abord remarquer qu'après la période d'engouement que nous venons d'évoquer, on a commencé très vite à éviter le titre ; en dehors des évangiles, il ne se lit qu'en Ac 7, 56. On a ainsi évité le danger, réel dans une communauté de langue grecque, de le comprendre comme désignant une origine [44]. La titulature ne s'est maintenue que dans les communautés judéo-chrétiennes de Palestine.

---

41. J. JEREMIAS, « Die älteste Schicht der Menschensohn-Logien », ZNW 58, 1967, pp. 159-172.

42. Il y a aussi le cas où un *bar-enâsh*, compris au sens commun, a été relu avec une signification emphatique. Par ex., le logion sur le blasphème contre l'Esprit (Mc 3, 28-29 = Mt 12, 31 et Mt 12, 32 = Lc 12, 10).

43. Mc 13, 26 par. ; 14, 62 par. ; Mt 24, 27.37b-39b parallèle à Lc 17, 24.26 ; Mt 10, 23 ; 25, 31 ; Lc 17, 22.30 ; 18, 8 ; 21, 36 ; Jn 1, 51.

44. En 1 Tm 2, 5-6, Paul l'a traduit par *ho anthrôpos*.

Les difficultés d'admettre que Jésus ait pu utiliser l'expression proviennent de la division des logia sur le Fils de l'Homme. Cette distinction consacre trois groupes : le premier ne contient que les paroles se rapportant au Fils de l'Homme à venir ; le second, les énoncés qui traitent de sa passion et de sa résurrection, et le troisième, les logia qui recouvrent uniquement le ministère terrestre de Jésus. B. Rigaux [45] a atténué la rigueur de cette distribution pourtant classique. Tout en reconnaissant que Jésus parlait du Fils de l'Homme à la troisième personne, il a admis « au nom de l'histoire » que Jésus s'était attribué le titre de Fils de l'Homme. Lorsque Jésus parlait du Fils de l'Homme à la troisième personne, il entendait marquer la différence, non entre deux personnages, mais entre son statut présent et son *status exultationis* : Jésus n'était pas encore le Fils de l'Homme, mais il serait un jour exalté comme tel [46]. Il faut donc refuser une opposition trop rigoureuse des dits de Jésus. Les passages qui ont trait à son activité terrestre et ceux qui sont liés à sa souffrance ne peuvent s'interpréter sans référence aux textes où s'exprime clairement l'attente de la glorification. D'autre part, le titre de Fils de l'Homme ne servait pas qu'à exprimer l'avenir eschatologique ; il soulignait aussi l'autorité incomparable de Jésus. Enfin, si Jésus devait passer par la mort, il n'en restait pas moins le Fils de l'Homme destiné à la gloire [47]. Ce qui dominait

---

45. « La seconde venue de Jésus », *La Venue du Messie, Messianisme et Eschatologie*, coll. « Recherches bibliques » 6, Bruges, 1962, pp. 173, 216 ; R. SCHNACKENBURG, *Gottes Herrschaft und Reich. Eine biblisch-theologische Studie*, Fribourg, 1959, pp. 113-115.

46. Nous retrouvons ici la situation de l'Hénoch des Paraboles vis-à-vis du Fils d'homme.

47. R. OTTO, *Reich Gottes und Menschenshon. Eine religiongeschichtlicher Versuch* [2], 1940, p. 41, a écrit fort justement : « Celui qui s'affirmait comme le ' prétendant au Règne ' devait être condamné par l'autorité romaine. A l'inverse, cette condam-

dans la pensée de Jésus, c'était l'idée d'exaltation eschatologique. Au fil de son expérience humaine, il a dû
la vivre en deux temps : d'abord, la perspective eschatologique sans échec ; ensuite, sous la pression des événements, la mort inéluctable. Mais l'idée d'exaltation
n'était pas abandonnée pour autant ; elle se réalisait
à travers la souffrance. Il n'est pas exagéré d'écrire
qu'en annonçant sa *traditio* inévitable dans les termes
mêmes de l'apocalyptique juive, Jésus a voulu marquer
à sa manière, prégnante, que l'échec dans la souffrance
était la voie, la condition, la garantie même de son
Exaltation, moyennant la transformation de son être.

§ 10. D'AUTRES PRÉDICTIONS

Les « trois annonces de la Passion » sont à considérer
comme des variantes de l'annonce majeure de la Passion en Lc 9, 44. Loin cependant d'épuiser les avertissements de Jésus à ses disciples, elles ne constituent
qu'une partie d'un matériel plus abondant. Par ailleurs,
l'ambiguïté même de la formule « Fils de l'Homme »
(elle peut signifier « quelques-uns ») invite à se demander
si Jésus n'a pas lié le sort des disciples au sien.

1. TROIS AUTRES LOGIA SUR LA PASSION

a) *La prière de Gethsémani (Mc 14, 36 et par.)*

La péricope marcienne de Gethsémani (vv. 32-42)
a fait l'objet d'études attentives. On y reconnaît généralement deux traditions. La première, parallèle à la ver-

---

nation prouve que Jésus a été ce prétendant. » Pour D. FLUSSER,
Jésus, Paris, 1970, p. 117, Jésus aurait d'abord attendu quelqu'un
d'autre, puis se serait finalement convaincu qu'il était lui-même
le Fils de l'Homme eschatologique ; toutefois, le savant juif ne
lie pas la mort de Jésus à la notion de Fils de l'Homme.

sion johannique, est centrée sur le thème christologique
de l'Heure ; la seconde, proche du texte de Luc, développe le thème parénétique de la prière et de la vigilance
nécessaires pour les temps d'épreuve [48]. La prière traduit
l'intensité du drame personnel vécu par Jésus. Malgré
l'opposition grandissante et la perspective pourtant
inéluctable de sa mort, a-t-il espéré jusqu'au bout une
issue providentielle ? A-t-il souhaité que Dieu puisse
encore établir le Règne sans passer par la souffrance ?
L'appel au Père permet de le supposer :

> *abba,* père
> tout t'est possible,
> éloigne cette coupe loin de moi.

L'araméen *abba* caractérise la couche la plus
ancienne de la tradition. Le style direct de Mc 14, 36
s'accorde avec la psychologie de la prière. Jésus affirme
la toute-puissance divine [49] avant de prier le Père d'éloi-
gner la coupe [50]. Ensuite, il corrige :

---

48. K.-G. KUHN, « Jesus in Gethsemane », EvTh 12, 1952-1953,
pp. 260-285, a dégagé deux traditions à partir du texte de Mc :
une tradition A, centrée sur le thème de l'Heure, et une tradition B
de caractère parénétique. Le texte de Lc représenterait une troisième
tradition parallèle, mais différente des deux récits marciens.
Nuançant l'analyse de détails, P. BENOIT, « Les outrages à Jésus
prophète », *Exégèse et Théologie* 3, Paris, 1968, pp. 251-269, a
rattaché le texte lucanien à la tradition B. C'est aussi l'avis de
X. LÉON-DUFOUR, art. « Passion » DBS VI, col. 1458-1459. L'hypothèse des « trois documents » de M.-E. BOISMARD (*Synopse* II,
§ 337) n'est pas convaincante : son document B est proche de la
tradition B de Kuhn, si l'on admet, avec P. Benoît, que Mc 14,
40-41 constitue une contamination de la tradition A par la tradition B. Les deux traditions, en effet, ont fort probablement
réagi l'une sur l'autre et l'analyse critique ne peut légitimement
prétendre à leur restitution intégrale.
49. Les parallèles affaiblissent (*ei dunaton estin* de Mt 26, 39b ;
ei boulei de Lc 22, 42). En outre, le verbe *boulomai* semble
typique du style lucanien (M.-E. BOISMARD, *op. cit.,* § 337, I,
C, 2b) : *ei boulei* peut être considéré comme une variante de
ei dunaton estin.
50. *Parenegke* est un hapax marcien.

mais pas ce que je veux,
mais ce que tu veux [51].

L'énoncé de Luc est voisin de la demande négative de Mt 26, 42d conforme à la troisième demande du Pater (Mt 6, 10) ; il est probable que Lc s'inspire de Mt [52].

b) *Le logion sur le traître (Mc 14, 21 et par.)*

Jésus semble avoir prévu quelques traits de sa passion. Il serait livré par un traître et enseveli comme un criminel. Comme la prière de Gethsémani, la parole sur le traître appartient à la triple tradition, Mt étant parallèle à Mc. Sont primitifs les éléments suivants :

— Le Fils de l'Homme s'en va *(ho huios tou anthrôpou hupagei).*
— Malheur à ce fils d'homme par qui le Fils de l'Homme est livré ! *(ouai tôi anthrôpôi ekeinôi di'hou ho huios tou anthrôpou paradidotai).*

Le titre messianique de la première proposition est secondaire [53], de même que la formule de citation. Les verbes *poreuetai* et *hupagei* ont le sens d'un futur et désignent la mort [54]. En revanche, la titulature est primitive dans la deuxième phrase [55]. Il faut, en effet, tenir

---

51. On notera le style également direct de Jn 12, 27 :
    Père,
    sauve-moi de cette heure.

52. Le *ginesthô* lucanien semble inutile. De plus, Mt 6, 10 est une addition.

53. Cf. J. JEREMIAS, art. cité, p. 161. Il y a de nombreux parallèles johanniques avec *egô* : 7, 33 ; 8, 14.21-22 ; 13, 33.36 ; 14, 2.4.12.28 ; 16, 5.7.10.17.28.

54. Cf. p. 80, note 71 ; *poreuomai* est un terme préférentiel de Lc.

55. Contre J. JEREMIAS, art. cité, p. 161, qui relève des versets concurrentiels, comme Mc 14, 18 et Lc 22, 21.

compte de l'ambivalence du *bar-enâshâ'* araméen sous-jacent ; on peut le postuler sous le titre messianique comme sous le *tôi anthrôpôi ekeinôi*. On obtient alors une paronomase parallèle à celle de Lc 9, 44b :

— Le Fils de l'Homme est livré entre les mains des hommes.

— Malheur à l'homme par qui le Fils de l'Homme est livré !

Le démonstratif *ekeinos* apporte une confirmation indirecte. L'expression *tôi anthrôpôi ekeinôi* n'a de portée emphatique qu'en grec ; en araméen, le sens est plutôt vague [56]. Dans ce cas, Jésus n'aurait pas désigné nommément Judas ; il aurait simplement parlé d'un traître. Il aurait acquis la certitude de la présence d'un traître parmi ses disciples, sans savoir précisément lequel d'entre eux. Par la suite, l'adjectif *ekeinôi* aurait été revêtu d'un sens précis par la Communauté post-pascale, en référence avec la trahison de Judas. Si le titre de Mc 14, 21b est primitif, nous sommes en présence d'un *mâshâl* sur le traître.

Le verbe *paradidotai* est au passif théologique. Dieu est la cause efficiente ; « l'homme » n'est que la cause instrumentale [57]. Le Fils de l'Homme est livré par Dieu, par l'intermédiaire d'un traître. C'est probablement la Communauté helléniste ou pagano-chrétienne qui a rapproché les deux logia de Mc 14, 21, en ajoutant le premier titre messianique. En accentuant l'antithèse entre la nécessité divine *(kathôs gegraptai peri autou)* et la responsabilité humaine, elle portait un jugement théologique de synthèse sur Judas. Malgré le caractère fatal des événements, Judas n'en est pas moins responsable [58].

---

56. Cf. J. JEREMIAS, *La dernière Cène. Les paroles de Jésus,* Lectio divina 75, Paris, 1972, p. 217, à propos de Mc 14, 25.

57. *dia* + génitif *(di'hou)* exprime la causalité instrumentale.

58. C. COLPE, art. « *ho huios tou anthrôpou* », ThW VII, 1969,

La dernière partie de Mc 14, 21 n'a pas de parallèle lucanien. Son contenu est sémitique, comme le montrent un verset de l'Hénoch éthiopien et un passage rabbinique [59]. Elle se présente comme une amplification des deux premiers éléments sous l'influence de Mt 18, 7.6. Un rédacteur aurait appliqué à Judas le logion sur le scandale. Mc 14, 21 est à regarder comme un agglomérat de logia, dont deux peuvent être considérés comme historiques.

c) La sépulture du criminel (Mc 14, 7.8 = Mt 26, 11.12 = Jn 12, 8)

J. Blinzler [60] a montré que les récits synoptiques ont été rédigés de façon à laisser entendre « que le corps du Seigneur ne fut pas déposé, nu et misérable, n'importe où ; mais que, grâce aux soins dévoués d'un membre du conseil qui s'empressa d'acheter du tissu de prix et de l'utiliser pour l'ensevelissement du corps, le Seigneur fut inhumé convenablement ». En fait, il semble plutôt que la Communauté n'ait pas conservé le souvenir d'un embaumement de Jésus ; elle a éprouvé ce fait comme un manque de piété à l'égard de son Seigneur et y a remédié a posteriori de différents moyens. Elle a corrigé le récit de la démarche des femmes au

---

p. 449, note 326, a cru devoir faire remarquer le mauvais emplacement de la particule *men* chez Luc, qu'il expliquait par une insertion, antérieure à Lc, du titre messianique et de la particule. L'objection ne paraît pas fondée. Le *hoti* initial est un joint rédactionnel dont la présence suffit à expliquer la place de la particule. En outre, il y a lieu de faire remarquer que Mc 14, 21a et 21b ne constituent pas une unité, mais une antithèse que souligne justement l'opposition des particules *men* et *de*. L'emploi de ces particules n'est pas marcien, mais typiquement grec. Leur introduction, chez Mc, pourrait remonter à un milieu helléniste, voire hellénistique.

59. Hén. éth. 38, 2 et Ḥagiga 2, 1.

60. *Le procès de Jésus*, Tours, 1962, p. 437.

tombeau, le matin de Pâques (Mc 16, 1-8) et, si Jn 19, 40 précise que le corps de Jésus fut oint d'aromates et lié dans des bandelettes, comme c'était la coutume chez les Juifs, les Synoptiques sont plus discrets. Le récit de l'onction anticipée de Béthanie procède de la même intention. Son emplacement, entre la péricope du complot des Juifs (Mc 14, 1-2) et celle de la trahison de Judas (vv. 10-11), trahit l'interpolation [61].

M.-E. Boismard [62] a postulé l'existence de deux récits parallèles en ce qui concerne, notamment, le dialogue entre Jésus et les disciples. Il a accordé la priorité au premier des textes, à cause des nombreux sémitismes qu'il contient et des coutumes juives qui y sont rapportées [63]. Le second ne serait qu'une réinterprétation du premier, faite en milieu hellénistique, sur la base de Dt 15, 11 ; le propos, christocentrique et moralisant, serait de souligner que toute action faite par amour de la personne du Christ a une valeur en soi et que le souci des pauvres constitue une obligation pour les chrétiens, même après la mort de Jésus. L'auteur a certainement valorisé le fragment relatif à l'embaumement anticipé de Jésus en y reconnaissant un élément d'un des chiasmes majeurs de la péricope. Toutefois, le seul argument littéraire qu'il puisse invoquer en faveur de son hypothèse est la continuité harmonieuse entre la critique des disciples et la réponse du Maître. D'une part, le reproche des *tines* est exprimé en deux membres de phrases complémentaires : le premier (v. 4) motive le reproche (en vue de quoi ce gaspillage de parfum s'est-il fait ?) ; le second l'explicite (v. 5 : ce parfum pouvait être vendu plus de trois cents deniers et donné aux pauvres). De même, on retrouve dans la

---

61. Le génitif absolu *ontos* suppose une suture.
62. *Synopse* II, § 313.
63. Cf. Le chiasme « en vue de quoi/parfum — elle a parfumé/en vue de l'ensevelissement ».

réponse de Jésus, d'abord une remarque d'ordre général
(v. 6 : elle a accompli une œuvre pie sur moi, car des
pauvres, vous en aurez toujours avec vous) ; ensuite,
la description de la bonne œuvre, à savoir l'embaumement anticipé (v. 8). Nous préférons garder l'unité du
récit marcien, soulignée par un chiasme majeur qui
répond mieux aux procédés de style palestiniens que
les reprises « décomposées » de M.-E. Boismard :

> v. 4 (a) : en vue de quoi ce gaspillage de *parfum*
> s'est-il fait ?
>
> 5 (b) : car ce parfum pouvait être vendu plus de
> 300 deniers et donné aux *pauvres.*
>
> 7 (b') : car les *pauvres,* vous en aurez toujours
> avec vous [64]...
>
> 8 (a') : d'avance, elle a *parfumé* mon corps en vue
> de l'ensevelissement.

L'unité du récit a été soulignée par X. Léon-
Dufour [65] qui croit aussi que la péricope a été utilisée
très tôt pour remédier à l'absence d'embaumement.

On peut supposer, sous-jacent au texte marcien, un
vieux fond palestinien [66] et une relecture johannique,
déjà théologique. Le cadre et les personnages ont été
progressivement précisés. Marc place la scène dans la
maison du lépreux Simon, un des nombreux « pauvres »
qui a dû faire partie de la clientèle historique de Jésus ;
la femme qui a répandu le parfum est restée inconnue ;
les noms de ceux qui ont critiqué son geste ne sont pas
cités [67]. Le reproche adressé à la femme et la réplique

---

64. Le v. 7b est probablement une addition marcienne.

65. Art. cité, col. 1455.

66. Les sémitismes sont particulièrement nombreux. Cf. J. Jeremias. « Die Salbungsgeschichte, Mk 14, 3-9 », *Abba,* Gœttingue,
1966, pp. 107-115.

67. Chez Jn, la scène se déroule dans la maison de Lazare
et Marthe sert à table ; l'inconnue y devient Marie qui répand

de Jésus s'enracinent dans la vie sociale de la Palestine.
Le geste de la femme a soulevé le mécontentement,
parce que l'argent gaspillé pour l'achat du parfum aurait
pu servir aux pauvres. Mais Jésus a demandé qu'on la
laissât tranquille, car elle venait de poser un geste de
charité ; or l'œuvre de charité était plus importante que
l'aumône [68]. En effet, l'aumône *(çedâqâh)* consistait
uniquement en dons d'argent distribués aux pauvres,
tandis que l'œuvre pie *(gemîlôt hasâdîm)* était accomplie
pour les pauvres comme pour les riches, pour les
vivants comme pour les morts ; de plus, elle exigeait
l'engagement de la personne [69].

Le verset 8 est considéré par J. Jeremias [70] comme
mâshâl de Jésus. Il rencontre sur deux points la situation historique du Nazaréen : sa certitude d'une mort
prochaine et sa préoccupation d'une sépulture décente.
Jésus a-t-il voulu faire le lien entre l'onction de Béthanie et la sépulture, suggérant par là que l'onction était
une contribution anticipée à son ensevelissement ? En
d'autres termes, visait-il uniquement l'embaumement
ou a-t-il donné au geste de la femme un sens mortuaire
plus large ? La difficulté de l'attribution du logion au
Jésus de l'histoire se ramène exactement à l'intelligence
mortuaire de l'onction, laquelle intelligence dépasse la
simple attente d'une sépulture de criminel. Le terme
entaphiasmos met plutôt l'accent sur la sépulture avec
tout ce que comprend le rituel de l'ensevelissement,

---

le parfum sur les pieds, qu'elle essuie ensuite avec ses cheveux.
Ce dernier trait trahit Lc 7, 38, où la pécheresse verse des larmes
abondantes sur les pieds de Jésus, les essuie avec ses cheveux et
les oint de parfum. Mt 26, 8 voit dans les *tines,* les « disciples »,
et Jn 12, 4, Judas ; ce dernier trait est secondaire et lié à la
réprobation unanime dont le traître fut l'objet dans la Communauté apostolique.

68. Sukka 48b Bar.

69. Tos. Pe'a 4, 19 (24, 26).

70. Cf. *Théologie du Nouveau Testament,* I, Lectio divina 76,
Paris, 1973, p. 353.

embaumement compris. On peut penser que la
Communauté post-pascale aurait employé un vocabulaire plus précis ; d'un point de vue critique, il apparaît
donc plus probable que l'Eglise primitive ait rapporté
à l'embaumement un dit antérieur qui parlait de la
sépulture. Jésus a désiré au moins la sépulture du
pauvre [71]. La vision de sa fin prochaine lui a enlevé
même cet espoir. Il s'en irait seul, sans le réconfort
d'une présence amicale [72]. L'ignominie ne lui serait pas
plus épargnée qu'aux prophètes qui l'avaient précédé.
La parabole des Vignerons homicides (Mc 12, 8) et le
logion sur la Ville « qui lapide les prophètes » fournis-
sent les parallèles adéquats.

2. JÉSUS ET LES DISCIPLES

d) *Le logion du « pasteur » (Mc 14, 27b = Mt 26, 31b)*

Jésus cite explicitement le texte hébreu de Za 13, 7b :

> Je frapperai le pasteur
> et les brebis seront dispersées.

---

71. Sur le désir d'une sépulture décente, cf. le § 5.

72. Selon le droit pénal romain, le supplicié n'avait pas droit
à une sépulture. Les crucifiés restaient en croix jusqu'à ce que
les bêtes ne laissent d'eux que des os. A la rigueur, la famille
pouvait réclamer le corps. Le droit juif (Sanh. 6, 5-6) prévoyait
un cimetière spécial, situé hors de la ville pour éviter que l'impu-
reté légale dont était frappée la dépouille du condamné ne conta-
mine le corps des autres défunts. Le cadavre des suppliciés était
inhumé dans des tombes individuelles. Si la famille n'avait pas
réclamé le corps, la sépulture était très sommaire (ni toilette
funéraire ni embaumement : le corps était enterré nu, à moins
que quelqu'un ne s'en occupe la nuit). Si des proches ou des
amis avaient réclamé la dépouille mortelle, ils pouvaient procéder
à une toilette sommaire et déposaient le cadavre dans un linceul ;
ce n'était qu'exceptionnellement qu'on procédait à l'embaumement.
Un an après, les ossements étaient déposés dans un ossuaire et
remis à la famille, qui procédait alors à la sépulture définitive
dans le caveau familial, mais sans cérémonie. A la lumière de
ces données le v. 8 prend tout son relief.

Empruntée à la vie pastorale, l'allégorie de Za 11, 16-17 ; 13, 7-9 s'applique à l'autorité qui ne remplit pas son rôle et, de ce fait, est maudite par Dieu. Elle annonce le châtiment des chefs indignes, la dispersion du troupeau et l'extermination des deux tiers des brebis. Le dernier tiers est purifié et établi comme peuple du Seigneur.

L'absence de toute influence de la version grecque sur le texte de Marc est un indice d'ancienneté [73], de même que l'allusion à la fuite des disciples qui sera de plus en plus ignorée par la tradition. Mais l'argument décisif en faveur de l'antiquité, et même de l'origine prépascale du logion, est qu'il annonce un trait qui ne s'est pas réalisé. Jésus avait pensé que sa passion ouvrirait une période de troubles pour le troupeau et avait ainsi lié le sort de ses fidèles aux siens. L'ambiguïté de la figure du Fils de l'Homme daniélique peut expliquer la « prédiction ».

e) *Le logion de l' « époux » (Mc 2, 20 et par.)*

Le logion de l' « époux » appartient à une série de cinq controverses qui se lisent de Mc 2, 1 à Mc 3, 6 et opposent Jésus à des Pharisiens et à des scribes. Trois d'entre elles présentent une série de traits identiques

---

73. Jn 16, 32 pourrait refléter la forme implicite et donc primitive de la citation. J. JEREMIAS, *op. cit.*, pp. 371-372 propose de ne pas considérer la parole de Mc 14, 27b de façon isolée ; l'image du pasteur se poursuit au v. 28, comme l'indique la continuité entre les deux versets, tant du point de vue littéraire (*proagô* est le terme technique pour désigner le berger qui marche devant le troupeau) que du point de vue idéel (après la dispersion, le rassemblement). En revanche, R. BULTMANN, *Die Geschichte der synoptische Tradition* [6], Gœttingue, 1954, p. 309, et W. MARXSEN, *Der Evangelist Markus. Studien zur Redaktionsgeschichte des Evangeliums* [2], Gœttingue, 1959, p. 56, tiennent Mc 14, 28 pour rédactionnel.

qui permettent de postuler un recueil de polémiques [74]. A ces trois péricopes sont venus s'ajouter le récit de la guérison du paralytique et celui de l'homme à la main desséchée, remarquable par le respect scrupuleux de la procédure du droit pénal juif [75].

La question du jeûne est au centre du deuxième litige rapporté par les Synoptiques. Le récit est introduit par une question : pourquoi la pratique des disciples de Jésus est-elle en opposition avec celle des Pharisiens et des disciples de Jean [76] ? La réponse de Jésus vient au v. 19 :

   a. Les compagnons de l'époux peuvent-ils jeûner durant le temps des noces ?
   b. Tant qu'ils auront l'époux avec eux, ils ne peuvent pas jeûner.

Le v. 19b, qui n'a de parallèle ni en Mt ni en Lc et se contente de reprendre les données du v. 19a, est une addition marcienne. Quant au v. 19a, beaucoup de critiques le considèrent comme un proverbe populaire palestinien [77]. Jésus poursuit en disant (v. 20) :

---

74. Il s'agit des péricopes du repas pris avec les pécheurs (2, 15-17), de la question du jeûne, à laquelle appartient le logion de l' « époux » (18-22), et des épis arrachés (23-28).

75. Une peine ne pouvait être appliquée que si le prévenu était conscient de sa culpabilité et en avait été, par conséquent, dûment averti. Cf. Sanh. 5, 1 et b. Sanh. 40b.

76. Selon Lc 18, 12, les Pharisiens jeûnaient deux fois par semaine. Les jours de pénitence étaient le lundi et le jeudi.

77. R. BULTMANN, *op. cit.*, p. 107, note 1 ; J. JEREMIAS, art. « *numphê, numphios* », ThW IV, p. 1096. La facture du verset est sémitisante. L'expression *hoi huioi tou numphônos* traduit l'araméen *benê haḥupâh* (« les fils du baldaquin nuptial »), en fait des jeunes gens chargés du soin d'organiser la fête et dispensés pour cela de certaines obligations religieuses, comme le jeûne (b Sukka 25b). L'article *hoi* a un sens générique et constitue déjà, à lui seul, un aramaïsme. Les verbes *nesteuein* et *penthein* sont des variantes de traduction de l'araméen *it'annê* ; variantes aussi les expressions *en hôi* et *eph'hoson*. Enfin, *met'autôn estin* est consi-

Mais viendront des jours
quand l'époux leur sera enlevé ;
alors, il jeûneront
(en ce jour-là).

La clause temporelle « en ce jour-là » a soulevé beaucoup de discussions qui portent sur l'ensemble du verset. Nombre d'auteurs considèrent le v. 20 comme une
addition visant à justifier la pratique du jeûne introduite dans l'Eglise primitive. Pour d'aucuns [78], l'addition de la formule tendrait à consacrer le vendredi, jour
commémoratif de la mort du Christ, comme jour de
jeûne [79]. La pratique nouvelle aurait déclenché un
conflit dans la communauté judéo-chrétienne attachée
à la coutume juive du jeûne bi-hebdomadaire. Ainsi
s'expliquerait aisément le rattachement au logion des
vv. 21-22 ; beaucoup dans la communauté chrétienne
se refusaient à un compromis, parce que le vieux et le
neuf ne s'accordent pas.

Il faut faire une différence entre la donnée temporelle et le reste du verset. La clause « en ce jour-là »
constitue, en effet, une addition trouvant probablement
sa raison dans un conflit communautaire, mais le reste
du verset est primitif. Déjà la version marcienne, mais
plus encore le texte parallèle de Matthieu (9, 15-16),
présente d'incontestables attaches sémitiques. Il faut
noter le parallélisme antithétique des membres du v. 15
et la construction chiastique des vv. 15 et 16, pour

---

déré par C. H. Dodd (*The Parables of the Kingdom*, Londres,
1935, p. 116, note 2) comme une périphrase pour traduire « durant
le temps des noces ».

78. Par ex., M.-E. Boismard, *Synopse* II, § 93, II, 2 ;
H.W. Kuhn, *Altere Sammlungen in Markusevangelium*, Gœttingue, 1971, p. 70.

79. Un passage de la Didachè (VIII, 1) suppose encore deux
jours de jeûne chez les chrétiens : le mercredi et le vendredi.

lesquels C.F. Burney a proposé un rythme en *qinâh* [80].
Il est par ailleurs difficile d'ignorer dans ces versets
une allusion discrète à la mort de Jésus, ce que ne
refusent pas les partisans d'une addition rédaction-
nelle, puisqu'ils admettent que le jour du jeûne a été
introduit en mémoire de la mort du Christ. En outre,
on peut dire que le v. 20 insinue la possibilité d'une
passion collective des disciples. Les verbes *nesteuein*
et *penthein,* qui traduisent le même araméen *it'annê,*
signifient respectivement « jeûner » et « être affligé ».
Le v. 20 peut dès lors se comprendre de l'annonce
d'un malheur : quand l'époux leur sera enlevé, ses
amis seront plongés dans l'affliction ; ils mèneront le
deuil (Mt 9, 15). Mais, dans l'antiquité, le jeûne n'était
pas seulement une affaire privée, mais aussi une pratique religieuse communautaire voire nationale. Israël
jeûnait pour apaiser la colère de Yahvé et écarter ainsi
les calamités que sa conduite lui avait méritées ; il jeûnait aussi durant les temps de détresse. On voit qu'il est
possible de ne pas réduire les paroles de Jésus à l'annonce d'un jeûne privé institué après sa mort, mais de
les comprendre comme la prédiction d'une démarche
religieuse provoquée par les malheurs que sa disparition
provoquerait. Le logion cadre parfaitement avec la
vision de Jésus persuadé que sa mort serait le signal d'un
temps d'épreuves pour les siens. Quand le berger est
frappé, il est normal que les brebis soient dispersées [81].

---

80. *The Poetry of our Lord. An Examination of the Formal
Elements of Hebrew Poetry in the Discourses of Jesus-Christ,*
Oxford, 1925, p. 140.

81. On notera encore que J. Jeremias, art. cité, pp. 1094-1095
rejette toute allégorie « époux-Messie » dans le logion, car une
telle allégorie est inconnue de l'Ancien Testament et du judaïsme
tardif ; elle apparaîtra pour la première fois avec Paul (2 Co 11,
2). Cf. J. Gnilka, « Brautigam » — spätjüdisches Messiasprädikat ? »,
Trierer Theologisch Zeitschrift 69, 1960, pp. 298-301.

3. LA PASSION DES DISCIPLES

f) *Le logion de l'« épée » (Lc 22, 35-38)*

Jésus a prédit à ses disciples qu'ils seraient entraînés avec lui dans la catastrophe qui allait le frapper. Les événements lui ont donné tort ; les disciples furent épargnés lors de l'arrestation du Maître. L'annonce d'une passion collective est prépascale ; quatre paroles de Jésus concernent la passion des disciples seuls.

Lc 22, 35-38 est un agglomérat traditionnel de logia divers. Les vv. 35 et 36 représentent un bel exemple de parallélisme antithétique ; ils reprennent les expressions de Lc 10, 4 (la bourse, la besace, les souliers) et opposent les temps initiaux, durant lesquels Jésus associait ses disciples à la proclamation du Règne, aux temps actuels qui sont ceux de l'hostilité. Ces versets ne peuvent pas être l'œuvre de la Communauté post-pascale. Dans ce cas, en effet, le récit aurait demandé une référence à la Résurrection, puisque la première prédication chrétienne a été commandée par cet événement et non par la volonté de Jésus à l'heure du *peirasmos*. De plus, le ton aurait été plus optimiste, car la première mission chrétienne s'est déroulée victorieusement. Enfin, on remarquera que le vocabulaire des deux versets est neutre [82]. On peut conclure à une parole historique prononcée à l'heure de l'échec eschatologique. Les foules ont refusé le message du Règne, mais Jésus a persisté dans l'attente du Royaume à venir.

Le v. 37 décrit la situation comme sans issue. La citation constitue un commentaire théologique ancien, quoique secondaire et repris par Luc, de la situation

---

82. A signaler un lucanisme au v. 35 : *ater*.

dans laquelle se débat Jésus [83]. Le v. 37b ne reflète, lui, aucune situation théologique ou eschatologique ; il constate l'échec de Jésus. Il ne peut être non plus une création de la Communauté qui a connu l'événement de Pâques.

Le v. 38 rapporte une méprise entre Jésus et les disciples qui apportent deux épées pour montrer qu'ils sont en mesure de se défendre. Jésus leur dit : *hikanon estin*, que l'on traduit généralement par « c'est assez ». On peut, en effet, comprendre que Jésus ait voulu indiquer que deux épées suffisaient. Mais la Bible de Jérusalem ajoute en note [84] : « Les apôtres n'ont pas compris les paroles du Maître, entendant ces paroles au sens matériel. Jésus coupe court. » On peut penser que Jésus a voulu clore une conversation que les siens n'étaient pas capables de soutenir ; il a haussé les épaules devant les armes qu'on lui amenait. La réponse est le mot de la fin ; Jésus n'a plus aucune illusion [85]. Mais s'il acceptait l'inéluctable, il n'a pas empêché ses disciples de se défendre. Ils en auraient besoin.

g) *Le logion du « baptême » et de la « coupe » (Mc 10, 38-39 = Mt 20, 22-23)*

Attestée par Marc et Matthieu, la péricope de la demande des fils de Zébédée est omise par Luc. Elle comporte deux parties. Tout d'abord, les fils — ou leur mère — demandent à Jésus le privilège de siéger à sa droite et à sa gauche, quand il sera entré dans la gloire (Mc 10, 35-37 = Mt 20, 20-21). La réponse de Jésus

---

83. L'introduction de la citation est typiquement lucanienne ; le *to gegrammenos* et l'article devant la citation en sont les indices.

84. Ed. 1956, p. 1385, note a.

85. *hikanon estin* traduit l'araméen *sepheq*. Cf. M. BLACK, *An Aramaic Approach to the Gospels and Acts* [2], Oxford, 1954, pp. 136-137.

à cette requête comprend aussi deux parties. La première est affirmative : Jésus fait abstraction des places demandées et répond aux disciples qu'ils ne connaissent pas le prix qu'exige l'entrée dans la gloire (Mc 10, 38-39 = Mt 20, 22-23 a) ; la seconde partie de la réponse est plus évasive : à la demande des premières places, Jésus répond que c'est là le domaine du Père (Mc 10, 40 = Mt 20, 23 b).

L'authenticité des vv. 38 à 40 a été contestée. M.-E. Boismard [86], à la suite d'autres critiques, tient compte du fait que l'opposition entre la gloire et la souffrance a surtout été développée par l'Eglise naissante et propose de tenir pour primitif le logion de Mc 10, 42 b-45, soit le fragment sur les préséances. Cette hypothèse nous paraît introduire une différence de niveau entre la demande des Zébédéides et la réponse de Jésus. En effet, la question des fils de Zébédée se situe à un niveau eschatologique : le Règne du Christ dans la gloire divine. Accepter que les vv. 42 ss. suivent immédiatement le v. 37, c'est ramener la réponse de Jésus à un niveau purement parénétique. Aussi, nous pensons que c'est le rédacteur marcien qui a ajouté le fragment sur les préséances au v. 40 par le lien rédactionnel du v. 41. Les multiples arrangements de la péricope des préséances ne plaident d'ailleurs pas en faveur de son authenticité dans son état actuel. Dans son commentaire de l'évangile de Marc, W. Grundmann a donné les conclusions suivantes [87] :

a) le récit de la demande des fils de Zébédée est une péricope composite qui va des vv. 35 à 40 ; ce qui

---

86. *Synopse* II, § 254, II. Cf. E. WENDLING ; M. DIBELIUS ; R. BULTMANN ; E. LOHMEYER ; G. BRAUMANN, « Leidenskelch und Todestaufe (Mk., X, 38 ss.) », ZNW 56, 1965, pp. 178-183. Pour l'authenticité : W.G. KÜMMEL ; E. PERCY ; E. SJOEBERG et J. JEREMIAS.

87. *Das Evangelium nach Markus,* Berlin, 1971, p. 218.

suit appartient à une autre source. Les vv. 35 à 40 appartiennent à une tradition prémarcienne ;

b) les vv. 37 à 38 répondent adéquatement à ce que fut la situation historique des disciples, à savoir l'attente impatiente du Règne dans un climat intensément apocalyptique, de même qu'à la situation historique de Jésus, sûr de la venue du Règne, mais conscient de la nécessité préalable de la souffrance ;

c) le v. 39b pourrait se présenter comme une prophétie du martyre futur des deux Zébédéides ; la question de son authenticité est à laisser ouverte. Dans l'hypothèse la plus défavorable, il pourrait être la relecture de la réponse de Jésus à la question des deux fils mentionnée en 39a, compte tenu de la mort tragique de Jacques et de Jean [88].

d) On retiendra donc comme certainement primitifs les vv. 38 et 39a.

L'image de la « coupe » apparaît déjà dans l'Ancien Testament. C'est une coupe de souffrances administrée aux hommes à cause de leurs péchés. Le symbole apparaît surtout dans la littérature prophétique [89], mais se retrouve aussi avec la même signification dans le judaïsme pré-chrétien [90]. Un passage du Martyre d'Isaïe emploie même l'image de la coupe pour traduire un

88. Cf. E. Lipinski, « L'Apocalypse et le Martyre de Jean à Jérusalem », NT 11, 1969, pp. 225-232.

89. G. Delling, « *Baptisma, baptisthênai* », NT 2, 1957, p. 94 a relevé les traits suivants :
a) C'est Yahvé qui présente lui-même la coupe (Ez 23, 31) ou la fait servir par des intermédiaires (Jr 25, 15) ;
b) servie aux rebelles, la coupe constitue un châtiment divin ; on ne peut se dispenser de la boire (Jr 25, 28) ; il faut même la vider jusqu'à la lie (Is 51, 17 ; Ps 75, 9) ;
c) ceux qui la boivent sont précipités dans la ruine totale (Jr 25, 27).

90. PsSal 8, 14-15 ; 1 QpHab 11, 10-15 ; p Pes. 10, 37c, 5.

destin personnel de souffrance [91]. Pour le Nouveau
Testament, à côté de quelques emplois littéraires (Mc
7, 4.8 ; 9, 41 par.) auxquels il faut ajouter la coupe
de la Cène (Mc 14, 23 par.), il faut mentionner la coupe
de la péricope des fils de Zébédée et celle de Gethsémani, sans oublier le septénaire des coupes de l'Apocalypse [92]. Le témoignage du Martyre d'Isaïe tendrait
à accréditer l'opinion des interprètes qui ne voient dans
cette coupe que l'image des souffrances et de la mort
de Jésus. En fait, il faut souligner qu'en dehors de ce
passage daté du premier siècle chrétien et de passages
rabbiniques tardifs, il n'est pas d'exemple où l'image
de la coupe désignerait simplement une destinée malheu-
reuse. La coupe symbolise le châtiment divin ; « celle
que doit boire Jésus doit donc se rapporter au châtiment
divin des péchés qu'il subira à la place des coupables [93] ». Cette conclusion est bien dans le sens de
Mc 10, 45b.

On a prétendu [94] que le thème du « baptême », absent
chez Matthieu, avait été ajouté par l'ultime rédacteur
marcien (vv. 38-39). En fait, la lecture des vv. 38-39
permet de déceler la présence d'un double parallélisme
synonymique :

v. 38 : Vous ne savez pas ce que vous demandez.
   a — Pouvez-vous boire la coupe que je dois
   boire

---

91. Martyre d'Isaïe 5, 13 :

  Or, avant d'être scié, Isaïe avait dit aux prophètes qui
étaient avec lui :
Allez dans la région de Tyr et de Sidon
car, pour moi seul, Dieu a mélangé la coupe !

92. Chap. 15 et 16.

93. A. FEUILLET, « La coupe et le baptême de la Passion (Mc,
X, 35-40 ; cf. Mt XX, 20-23 ; Lc XII, 50), » RB 79, 1967, pp. 360-
362.

94. M.-E. BOISMARD, *Synopse* II, § 254, II, 2.

        b — et être baptisés du baptême dont je dois
        être baptisé ?

v. 39 : Ils lui dirent : nous le pouvons.
        Jésus leur dit :
        a' — vous boirez la coupe que je dois boire
        b' — et vous serez baptisés du baptême dont
        je dois être baptisé.

Le parallèle matthéen omet les membres bb' :

20, 22 : Vous ne savez pas ce que vous demandez.
        Pouvez-vous boire la coupe que je vais boire ?
        Ils répondirent : nous le pouvons.
   23 : Il leur dit :
        (to men potêrion) vous boirez ma coupe ;
        (to de kathisai) quant à vous asseoir...

Matthieu renforce ainsi l'antithèse entre « boire la
coupe » *(to men)* et « s'asseoir à la droite et à la gauche » *(to de)*. On peut supposer qu'il jugeait bb' super-
flus, parce qu'à ses yeux, « être baptisé » et « boire la
coupe » étaient équivalents.

    Le dit sur le baptême reste très discuté aujourd'hui.
Il faut reconnaître que ni l'usage profane ni celui de
la Septante ne préparaient le verbe *baptizô* à exprimer
l'immersion de Jésus dans la souffrance et la mort [95].
Bien que de nombreux commentateurs s'accordent pour
dire que l'immersion dans les eaux, exprimée par d'autres verbes que *baptô* ou *baptizô,* est, dans l'Ancien
Testament, l'image des malheurs qui s'abattent sur

---

95. Epictète (*Diatribai,* II, 9, 20) applique le verbe *baptô* au
baptême des prosélytes ; Platon parle de *bebaptismenoi,* de gens
plongés dans l'ivresse (*Banquet* 176b ; cf. *Euthydème* 117d).
Josèphe (*Bell.,* IV, 3, 3) évoque une cité plongée dans la ruine
et Plutarque, un individu couvert de dettes. La Septante écrit
quatre fois le verbe *baptizô* dans le sens d'ablutions ou de puri-
fications (2 R 5, 14 ; Jdt 7, 5 ; Si 34, 25) ou dans un sens métaphorique (Is 21, 4).

quelqu'un, il n'est pas certain que l'on puisse établir une équation entre « être submergé » (ou « immergé ») et « subir une mort violente ».

W. Grundmann [96] renvoie aux bains de purification qui préludaient aux repas. Dans le Nouveau Testament, en effet, *baptismos* désigne le baptême (He 6, 2) ou des ablutions rituelles (Mc 7, 3.4). Le repas messianique, symbole de béatitude, serait, lui aussi, précédé d'un bain préparatoire constitué par la souffrance. Le baptême johannite, sceau de la conversion intérieure, annonçait la « renaissance » de toutes choses. Se peut-il que le baptême fût déjà compris, avant Jésus, comme le modèle de la souffrance et de la renaissance eschatologique ? C'est ce qu'a pensé E. Schweizer [97] qui, tout en reconnaissant que semblable hypothèse ne se laisse plus vérifier, a imaginé un baptême « général » dans lequel Jésus aurait pris sur lui la souffrance eschatologique et opéré la régénération du monde. A. Feuillet a aussi proposé de reprendre la signification du baptême johannite. Si « Jésus n'a pas hésité à nommer sa Passion un baptême, c'est parce que lui et ses apôtres étaient familiarisés avec un rite de repentance, en relation intime avec le péché, qui était appelé ' baptême ' et qu'il entendait mettre sa mort en connexion avec le péché [98] ». On peut dès lors conjecturer que cette signification métaphorique a pu être diffusée dans les milieux baptistes et que Jésus a réemployé une tournure vétérotestamentaire. Par ailleurs, Lc 12, 50 — un autre dit sur le baptême — pourrait bien être la forme la plus ancienne qu'on puisse atteindre du logion.

---

96. *Op. cit.*, p. 218.
97. cf. *Das Neue Testament Deutsch* I, Gœttingue, 1967, pp. 195-196.
98. Art. cité, p. 381.

h) *Les logia du « feu » et du « baptême » (Lc 12, 49 et 50)*

> v. 49a : Je suis venu allumer un feu sur la terre
>   b : et combien je veux qu'il devienne embrasement !
> 50a : J'ai à être baptisé d'un baptême,
>   b : et dans quelle tribulation je suis jusqu'à ce qu'il soit consommé !

Les vv. 49 et 50 sont écrits dans la structure du double parallélisme synonymique. Pour les éléments 49a et 50a, on remarque les accusatifs d'objet interne (feu/ baptême) qui soulignent l'intensité de l'action et se trouvent sous la dépendance des verbes « allumer/être baptisé » [99]. Conjugués à l'infinitif, ces verbes décrivent un acte ou un événement de la vie de Jésus [100]. Les deux autres éléments du parallélisme (49b./50b) sont reliés respectivement aux premiers par une particule de liaison. La phrase principale, dont le sujet est Jésus, indique sa réaction devant l'événement (je veux/je suis dans une tribulation) [101]. En queue, dans la subordonnée, on lit un aoriste passif (être allumé/être consommé) dont le sujet est le mot-clef des parties « a » (feu/ baptême).

L'image du baptême vient d'être étudiée. Le substantif *pur* (feu) est un vieux terme oriental, tout comme l'eau ou l'huile, qu'il est très difficile de comprendre. Il désigne ici le feu purificateur qui détruit les impuretés

---

99. Cf. BLASS-DEBRUNNER, § 151, 2.

100. Selon G. DELLING (art. cité, pp. 104-105), *êlthon* désigne la mission du Jésus terrestre ; *pur balein* se rapporte dès lors à un événement du ministère de Jésus.

101. Le verbe *sunechomai* est lucanien et traduit la situation du *peirasmos*. « Etre dans l'angoisse » paraît trop faible ; « être dans la détresse », trop fort. Les particules *ei êdê* et *heôs hotou* traduisent une certaine impatience.

et donc les « impurs » ; il évoque le jugement de Yahvé, jugement qui peut déjà s'exercer dans l'éon présent [102]. L'image du feu est aussi très familière aux descriptions apocalyptiques [103] ; le judaïsme en a fait le symbole du jugement eschatologique [104]. De même, le Nouveau Testament comprend l'image du feu du jugement dernier. Jean-Baptiste annonçait le jugement dans le langage imagé et rude des prophètes (Mt 3, 10.12) ; le logion des « deux baptêmes » appartient à un contexte identique (Mt 3, 11) ; Lc 9, 54 cite 2 R 1, 10.12 et contient une allusion à l'histoire d'Elie. Au vu du double parallélisme et de la possibilité d'associations d'images [105], on a proposé de lier les versets 49 et 50 et de les comprendre dans le même sens. Nul ne conteste que Jésus soit venu apporter le feu sur la terre ; devait-il pour autant subir lui-même l'épreuve du feu ? En d'autres termes, doit-on comprendre le v. 49 comme annonciateur de la Passion ?

L'expression « allumer un feu » est conjuguée à l'actif, ce qui ne correspond pas à l'élément parallèle du v. 50 (« être baptisé d'un baptême »), où le verbe est un passif théologique qui exprime l'action divine. C'est Jésus qui est venu apporter un feu sur la terre ; c'est Dieu qui est responsable du baptême dont Jésus doit être baptisé. Le parallélisme, incomplet sur le plan de la structure, l'est aussi au niveau des idées. Le premier logion a pu être prononcé par Jésus dès le début du ministère ; le second semble plus adapté à la situation de la Passion entrevue et acceptée. Jésus est « dans une tribulation extrême » jusqu'à ce qu'elle soit consommée. Il y a donc une réelle indépendance des logia,

---

102. Gn 19, 24 ; Nb 11, 1 ; Am 7, 4 ; Is 30, 33.
103. Ez 38, 22 (Gog et Magog) ; Za 13, 8.9a ; Ml 3, 19 ; Dn 7, 9-10 ; Ps 11, 6.
104. SyrBar. 48, 39 ; Hén. éth. 102, 1 ; 1 QpHab 10, 6-13.
105. Cf. G. Delling, art. cité, pp. 312-314.

tant du point de vue du sens que du contexte idéel et de la situation. Ils ont pu être rapprochés au moment de la formation de la tradition post-pascale et, pour autant que l'on puisse en juger, en raison de l'idée d' « épreuve » eschatologique que les milieux apostoliques ont dû lire dans les deux passages. Le v. 49, de frappe palestinienne, vise l'événement eschatologique du feu purificateur et doit être rapproché du « baptême de feu ». Quant au v. 50, on ne peut pas clore définitivement la discussion à son sujet. Il s'agit d'un logion pré-rédactionnel vraisemblablement corrigé par Luc. Rappelons que E. Schweizer pense que Lc 12, 50 reproduit, sous la forme la plus ancienne qu'on puisse atteindre, la réponse de Jésus à la demande des fils de Zébédée. Ce verset serait alors à placer dans les *meshâlîm* annonçant la passion des disciples [106].

i) *Les paroles sur le « renoncement » (Mc 8, 34 et 35 et par.)*

Après avoir rapporté l'annonce de la Passion (Mc 8, 31 par.), les Synoptiques ont groupé une série de logia sur le renoncement nécessaire pour suivre Jésus. L'association paraît artificielle et les dits ont vraisemblablement circulé d'abord isolés les uns des autres.

Mc 8, 34 par.

> Si quelqu'un veut être mon disciple,
> qu'il se renie lui-même,
> se charge de sa croix
> et me suive.

Le logion appartient à la triple tradition, mais se lit aussi, sous une forme légèrement différente, dans

---

106. Cf. J. JEREMIAS, *Théologie du Nouveau Testament*, I, Lectio divina 76, Paris, 1973, p. 353

la source des Logia (Mt 10, 38 = Lc 14, 27). L'expression *opisô mou elthein* désigne le disciple qui marche derrière le maître [107] ; elle est fréquente dans la Bible et dans la littérature rabbinique. Quelles sont les conditions requises pour être disciple de Jésus ? Il faut d'abord se renier. Le verbe *aparneomai* signifie « regarder comme étranger » ; il est ici conjugué à l'aoriste, tout comme *elthein,* pour indiquer que le choix exigé est radical : « Si quelqu'un veut être (définitivement) mon disciple, qu'il se renie... » Ensuite, il faut prendre sa croix. La formule a évidemment été christianisée ; la communauté post-pascale l'a associée à la croix de Jésus. Mais, dans son sens premier, la formule évoquait un moment concret, à savoir le premier temps de l'exécution judiciaire, l'instant où le condamné à mort chargeait le « patibulum » sur ses épaules pour s'engager sur la route du supplice. « Se charger de sa croix » est alors synonyme de « prendre le risque d'une vie qui est aussi pénible que la marche d'un condamné à mort au milieu d'une foule hostile [108] ». Du vivant de Jésus, la croix n'était pas un spectacle rare. Se renier, se charger de sa croix, voilà les actes capitaux qui décident d'une vie et d'une vie de chrétien [109]. Quand on les a vécus, on peut suivre Jésus ; *akoloutheitô* est conjugué au présent

---

107. La formule *opisô mou* est à comprendre, non au sens temporel (« après moi »), mais au sens spatial ; elle traduit l'araméen *mehallaka baterai.*

108. J. JEREMIAS, *op. cit.,* p. 301.

109. Lc a compris la phrase dans un sens plus métaphorique ; il faut prendre sa croix « chaque jour » : l'aoriste *elthein* s'est changé en présent. Il n'est plus question d'actes décisifs, mais du quotidien.

L'expression « prendre sa croix » fera par ailleurs fortune. Ga 2, 19 *(Christôi synestaurômai)* est nettement plus mystique. Finalement, on trouvera l'exemple du parfait disciple dans la personne de Symon de Cyrène qui s'est vu imposer la croix à porter « derrière » Jésus (Lc 23, 26).

et indique la relation continue entre le maître et le disciple [110].

Mc 8, 35 par.

Le logion de la triple tradition peut s'énoncer ainsi :

Qui veut en effet sauver sa vie, la perdra ;
mais qui perd sa vie à cause de moi, la sauvera.

Il faut souligner le parallélisme antithétique et la construction chiasmique. Le dit doit se comprendre dans un contexte de persécutions, comme l'indique la clause « à cause de moi ». Dans la source L, on lit Lc 17, 33 vraisemblablement construit à partir du même substrat araméen et amené par Lc 17, 31-32 qui affirme qu'en certaines circonstances les disciples peuvent sauver leur vie par la fuite ; pour Lc 17, 33, il y a des cas où cet agir n'est pas de mise [111]. Le parallèle de Jn 12, 25 est bâti sur l'antithèse « aimer-haïr », mais Jean a pris soin de préciser les deux plans sur lesquels se joue le paradoxe : qui hait sa vie en ce monde, la gardera pour la vie éternelle. Il rend compte ainsi de l'ambiguïté du mot *psuchê (néphésh)* qui vise tant la vie physique que la personnalité de l'individu.

L'énoncé des parallèles de Mc 8, 34 et 35 indique combien les paroles sur le renoncement ont été méditées et relues dans l'Eglise primitive en butte aux persécutions. Leur frappe araméenne plaide en faveur d'une tradition pré-pascale. En face des troubles que sa mort devait provoquer, Jésus a exhorté ses disciples. Ils

---

110. Il faut encore noter le parallélisme synthétique ; la pensée se développe à travers les divers éléments du logion. J. JEREMIAS, *op. cit.,* p. 32 a proposé un rythme 4 + 4 + 2.

111. Mt 10, 39 emploie le verbe *euriskô* et Mc 8, 35, le verbe *apollumi.* Celui-ci peut avoir le double sens de « faire périr » ou d'« égarer ». Mt a sans doute retenu le deuxième sens, ce qui explique le verbe opposé « trouver ».

devaient s'attendre à tout, y compris à la mort. Une fois de plus, il faut constater que ces logia ne se sont pas réalisés, ce qui plaide aussi en faveur de leur authenticité. A la mort de Jésus, les disciples n'ont pas été inquiétés. Ils s'étaient d'ailleurs bien gardés de prendre la croix et de suivre leur Maître. Mais, lorsque l'Eglise aura été fortifiée par l'Esprit de la promesse, lorsque les persécutions s'abattront sur la jeune communauté et que les premières têtes tomberont, les chrétiens reprendront les paroles de Jésus et les méditeront. Cette fois, elles se réalisaient.

CONCLUSIONS

Dans l'introduction, nous avons déclaré que, seul, l'emploi conjugué des différents critères de l'historicité pouvait fournir aux chercheurs une méthode de travail éprouvée. Pris isolément, en effet, aucun critère n'est apte à fonder l'historicité d'une tradition évangélique.

Ainsi, beaucoup d'auteurs ont-ils travaillé à partir du principe de la particularité spécifique de Jésus. A leurs yeux, ne tenir pour originaux que les matériaux qui ont résisté à l'idéalisation neutralise la tendance de l'Eglise primitive à « styliser » la figure de Jésus. Au seul plan littéraire, nous avons noté l'influence du contexte apostolique sur l'annonce de la Passion. Toutefois, les trois sommaires d'annonces ne constituent qu'une partie d'un important matériel de logia ayant pour objet la passion prochaine de Jésus ; il est intéressant de relever, dans ces paroles, une série de traits qui ne se sont pas réalisés. Jésus a été condamné à la croix, alors que Mt 23, 37 par. annonçait le supplice de la lapidation dont Jésus s'était maintes fois rendu passible. Les disciples ne furent pas inquiétés lors de l'arrestation du Maître, alors que celui-ci avait pensé que sa mort sonnerait le signal de la persécution.

La griffe de l'Eglise se devine encore dans la parole sur le traître (Mc 14, 21). Alors que Jésus avait uniquement prévu la trahison dont il serait la victime, la Communauté apostolique en a désigné le responsable.

Jésus n'attendait que la sépulture du criminel (Mc 12, 8 et 14, 8) ; l'Eglise a pris note du manque de piété des disciples et y a remédié en multipliant les récits d'embaumement [1]. Enfin, le rôle du culte et du théologoumène de Jésus, véritable agneau pascal, a été déterminant dans l'évolution du récit et des paroles eucharistiques. De même, la chronologie des récits synoptiques de la Passion a-t-elle été marquée par le souci d'opposer la Résurrection au complot.

Il ne suffit pas de dégager la figure de Jésus de sa gangue ecclésiale ; il faut encore montrer qu'elle ne se confond pas avec les courants judaïques de son temps. Ce fut le rôle du critère de la double délimitation. Si Jésus s'est nourri aux principaux courants de la pensée religieuse de son milieu et de son temps et a puisé dans les thèmes les plus marquants de l'apocalyptique et du piétisme intertestamentaires, il n'en a pas pour autant sacrifié l'originalité de sa personne et de son message. Il ne s'est arrogé qu'un seul titre messianique, celui du Fils de l'Homme daniélique. Mais, alors que les Paraboles d'Hénoch, le commentaire

---

1. J. Jeremias, *Théologie du Nouveau Testament*, I, Lectio divina 76, Paris, 1973, p. 355 range parmi les prédictions non réalisées l'absence de sépulture (Mc 14, 8) du fait que, selon Mc 15, 46, Pilate avait donné le corps de Jésus à Joseph d'Arimathie qui l'enveloppa dans un linceul et le déposa dans une tombe, ce qui ne contredit pas la thèse de l'auteur sur l'absence d'embaumement (16, 1). Mais, p. 381, Jeremias écrit que l'abandon du corps d'un condamné, exécuté pour haute trahison, était peu habituel de la part du gouverneur. Nous avons relevé le fait que la primitive Eglise avait ressenti l'abandon des disciples comme un manque de piété et y avait remédié en multipliant les récits d'embaumement (Mc 15, 46 et 16, 1 ; Jn 19, 40). D'ailleurs, le texte de Mc 15, 46 ne dit rien de plus que ce que prévoyait le code pénal juif : des amis pouvaient réclamer le corps, procéder à une toilette sommaire et le déposer dans un linceul. Le corps du supplicié était alors inhumé dans une tombe individuelle (Sanh. 6, 5-6). Jésus a donc bien reçu comme il s'y attendait la sépulture du criminel (Mc 12, 8 et 14, 8).

judaïque le plus autorisé du livre de Daniel, se limitaient à décrire les fonctions du personnage eschatologique, Jésus, lui, s'est affirmé comme le Fils de l'Homme. Il a reconnu qu'il devait être livré aux forces mauvaises mais, en outre, il a compris que Dn 7 à 12 lui garantissait, après le martyre, l'Exaltation et le Règne. Enfin, Jésus est le seul Juif qui se soit adressé à Yahvé en l'appelant *abba*.

L'idée d'un Messie souffrant était loin d'être familière aux contemporains de Jésus. Aussi, était-il intéressant d'indiquer, malgré la difficulté du propos, qu'une école rabbinique comme celle d'Aqiba connaissait l'idée de la valeur rédemptrice de la souffrance et que le targum d'Isaïe 52-53 paraît avoir conservé l'image d'un Messie devant passer par la détresse avant d'être intronisé comme juge des nations et protecteur des élus. Mais, quoi qu'il en soit, Jésus s'est considéré comme le Serviteur souffrant pour les multitudes. Il a vu sa mort comme un remplacement pour les « nombreux », alors que les rabbins excluaient les païens du salut.

Intéressant, le critère de dissimilitude est incomplet. Il ignore tous les cas où la pensée de Jésus s'enracinait dans le terroir palestinien qui était le sien, en même temps que ceux où l'Eglise a transmis intactes les paroles de Jésus. Nous venons de noter que Jésus avait puisé dans l'apocalyptique juive les grands thèmes de sa prédication. C'est à l'aide de termes empruntés à l'apocalyptique daniélique qu'il a annoncé sa passion aux disciples médusés ; c'est vers l'image du Fils de l'Homme et du Serviteur qu'il s'est tourné pour interpréter sa mort. A propos de la parabole des Vignerons homicides, nous avons signalé sa connaissance du droit civil juif. Son souci d'une sépulture décente témoigne du fait qu'il n'ignorait pas le sort réservé aux suppliciés par la législation pénale. Son inquiétude était celle de l'âme juive. Jésus savait que le sang injustement versé crie vengeance au ciel et il se savait juste. Enfin, il faut noter ses paroles de malheur contre les bâtisseurs de sépulcres, alors même que la Palestine se couvrait de monuments expiatoires.

Pour pallier les carences du principe de dissimilitude, J. Jeremias a proposé des critères de style et de langage [2]. Il a opportunément attiré l'attention sur le fait que des formes d'expression revenaient sur les lèvres de Jésus avec une fréquence inhabituelle. Paronomase, passif théologique, parallélisme antithétique [3] étaient typiques de son discours. Sa préférence allait aux paroles énigmatiques et ses paraboles étaient très différentes de celles des rabbins. Toutefois, en même temps qu'elles donnent à Jésus une place particulière dans la littérature judaïque, ces expressions le mettent aussi au rang de ses contemporains. Jeux de mots, *meshâlîm*, prosodie appartiennent à la langue juive.

*
* *

Après la mort du Baptiste, Jésus a repris le flambeau du prophétisme pour proclamer l'ultime Parole. Ce fut d'abord l'euphorie (Mt 11, 4-6 et Lc 4, 17-22). Jésus a prêché la venue du Règne ; Mc 9, 1 a conservé son espoir de le voir s'établir avant la mort de ses disciples, si pas avant la sienne. Mais, les idées messianiques de Jésus, son attitude devant des institutions aussi vénérables que la Loi et le Temple devaient le conduire à

---

2. *Op. cit.*, pp. 7-55.

3. Avec beaucoup de minutie, J. JEREMIAS, *op. cit.*, pp. 27-28, montre que Jésus se distingue de l'Ancien Testament, jusque dans la forme du parallélisme antithétique. Dans l'A.T., c'est le deuxième stique du parallélisme qui éclaire et approfondit le premier, au moyen d'un énoncé en contraste ; chez Jésus, c'est presque toujours l'inverse.

l'épreuve de force ; il dut bientôt compter avec une perspective d'échec.

Jésus s'est alors laissé interpeller par l'événement. Il l'a fait en confrontant sa vie avec la Parole de Dieu, notamment le message apocalyptique de Daniel et la prophétie du second-Isaïe. Il a vu dans les figures du Fils de l'Homme et du Serviteur de Yahvé l'expression la plus obvie de sa mission. A travers elles, il a compris que l'échec dans la souffrance était la condition et la garantie de sa propre Exaltation. Aussi, à la perspective du Règne sans échec, a fait place celle de la glorification à travers la souffrance. Tournant impressionnant dans la vie de Jésus et sa conscience de Messie !

La parabole des Vignerons homicides témoigne de l'avertissement que Jésus donna aux membres du Sanhédrin. En leur laissant entendre qu'il avait percé à jour leur complot, Jésus faisait la preuve de sa lucidité. Il s'inscrivait dans la longue liste des envoyés de Dieu, où le Baptiste l'avait précédé. Il dénonçait en même temps l'hypocrisie des scribes qui élevaient des monuments funéraires aux prophètes assassinés par leurs ancêtres. Mais, la confidence la plus difficile fut sans doute celle que Jésus dut faire aux disciples imprégnés de messianisme terrestre. La péricope de la tentation, notamment, atteste du choix que Jésus fut constamment obligé de faire contre eux aussi pour rester fidèle à sa mission. L'Eglise a conservé pieusement les multiples révélations que Jésus fit pour leur ouvrir les yeux à son destin. En outre, de nombreux logia laissent entendre qu'il avait lié le sort de ses disciples au sien. Ces prédictions ne se sont pas réalisées, pas plus que la prédiction du supplice de la lapidation. Mais l'existence de tels logia rend compte plus que tout autre critère de la véracité de la tradition évangélique.

INDEX

A) TEXTES BIBLIQUES

ANCIEN TESTAMENT

NOUVEAU TESTAMENT

B) PSEUDEPIGRAPHES PALEO-TESTAMENTAIRES

C) TEXTES DE QUMRAN

D) JOSEPHE

Antiquités juives XIII,
13, 5, § 373   *19 n*
              XIII,
14, 2, § 379   *19 n*

Guerre juive IV,
3, 3   *160 n*

E) TEXTES RABBINIQUES

MISHNA

Berakôt
6, 1   *106*

Pesaḥîm
5, 1   *108 n*
8, 6a   *110*

Sukka
52a Bar   *22 n*

Qiddushîm
31b Bar   *96*

Ḥagiga
2, 1   *146 n*

Baba Batra
3, 1   *57 n*
  3   *58 n*
8, 1   *57 n*

Sanhedrin
2, 1   *96*
5, 1   *152 n*
6, 2   *94*
  4   *54 n*
  5-6   *150 n, 170 n*
7, 4   *54 n*
11, 8   *54 n*
11, 1   *54 n*

Makkôt
2, 6   *97, 98 n*

Pirqê Abôt
3, 16   *115 n*

Negaᶜîm
2, 1   *96*

TOSEPHTA

Berâkôt
6, 2 (14)   *117 n*

Pea
4, 19 (24, 26)   *149 n*

Yoma
5, 6 ss   *95*

Megilla
4, 15 (226, 13)   *70*

Sanhedrin
9, 5 (429)   *91*
13, 2 (434)   *117 n*

TALMUD DE JÉRUSALEM (pT)

Pesaḥîm
10, 37c, 5   *158 n*

Yoma
3, 4ac, 26   *74 n*

Taᶜanit
4. 69a   *65 n*

TABLE DES MATIÈRES

Achevé d'imprimer
le 6 juillet 1976
sur les presses de
l'imprimerie Laballery et Cie
58500 Clamecy
Dépôt légal : 3e trimestre 1976
Numéro d'éditeur : 6640
Numéro d'imprimeur : 18230

Imprimé en France

COLLECTION "LECTIO DIVINA"